بچپن، جوانی، صدارت

جان ایف کینیڈی

بروس لی

مترجم: انور عنایت اللہ

فکشن ہاؤس

● لاہور ● حیدر آباد ● کراچی ●

نام کتاب : جان ایف کینیڈی
بچپن، جوانی، صدارت

مصنف : بروس لی

مترجم : انور عنایت اللہ

اہتمام : ظہور احمد خاں

پبلشرز : فکشن ہاؤس لاہور

کمپوزنگ : فکشن کمپوزنگ اینڈ گرافکس، لاہور

پرنٹرز : سید محمد شاہ پرنٹرز، لاہور

سرورق : ریاض ظہور

اشاعت : 2012ء

قیمت : -/200 روپے

تقسیم کنندہ:

فکشن ہاؤس: بک سٹریٹ 39- مزنگ روڈ لاہور، فون: 042-37249218-37237430

فکشن ہاؤس: 52,53 رابعہ سکوائر حیدر چوک حیدر آباد، فون: 022-2780608

فکشن ہاؤس: نوشین سنٹر، فرسٹ فلور دوکان نمبر 5 اردو بازار کراچی

فِکشن ہاؤس

• لاہور • حیدر آباد • کراچی

e-mail: fictionhouse2004@hotmail.com

فہرست

پڑھنے والوں سے

مجھے یہ جان کر خوشی ہوتی ہے کہ بہت سی قوموں کے نوجوانوں کو انگریزی سیکھنے میں ایک ایسی کتاب سے مدد ملے گی جو میرے بھائی، جان ایف کینیڈی کے بارے میں ہے۔

یہ عمدہ لکھی ہوئی کتاب ان کی زندگی کی بڑی صحیح عکاسی کرتی ہے۔ ان کی زندگی میں نوجوانوں کو متاثر کرنے اور ان کے دلوں کو گرمانے کے لئے بہت کچھ تھا۔ مثلاً——— کچھ سیکھنے کی شدید لگن، ہر قسم کے مقابلوں سے محبت۔ جنگ میں بہادری، دُکھ درد اور پریشانی میں صبر و تحمل، اپنے کنبے اور ملک کے لئے پُر جوش ایثار اور قربت اور ایک آزاد خود مختار قوم کے سیاسی طریق عمل کے ذریعے ان کی ترقی، جس نے انہیں نمایاں فوقیت بخشی۔

تاریخ میں اپنے ملک کے سب سے نوعمر منتخب شدہ صدر ہونے کی حیثیت سے جان ایف کینیڈی کا نوجوانوں سے بڑا خاص تعلق رہا ہے۔ ان کے درمیان رہ کر انہیں بڑی خوشی ہوتی تھی۔ اپنی سرکاری رہائش گاہ، وہائٹ ہاؤس میں مختلف ملکوں کے طلباء اور طالبات کا استقبال کر کے انہیں بڑا لطف آتا تھا۔ ان کی انتظامیہ کے بہت سے منصوبے، نوجوانوں ہی کی فلاح و بہبود کے لئے وقف تھے۔ مثلاً تعلیمی ترقی، نوعمر مزدوروں کی تربیت، پیس کور یعنی امن کے لئے نوجوانوں کی تنظیم جس کی وجہ سے بہت

سے ترقی پذیر ملکوں کو فائدہ پہنچا، اُن لوگوں کی مدد اور خدمت، جو ذہنی کمزوریوں کا شکار تھے، اسی قسم کی کئی ذہنی بیماریوں کے خلاف جدوجہد اور اُن منصوبوں کی مستقل جستجو، جو دنیا سے ہمیشہ کے لئے جنگ کا خاتمہ کر دیں۔

مجھے اُمید ہے کہ نوعمر پڑھنے والوں کو یہ کتاب ضرور متاثر کرے گی اور وہ اس کے زیرِ اثر، حب الوطنی کے نشے میں سرشار اسی طرح اپنی قوم کی خدمت کر سکیں گے، جس طرح میرے بھائی نے کی۔ بہت ممکن ہے کہ ایک دن ایسا بھی آئے گا جب ان میں سے بعض نوجوان ہمارے ملکوں کے مشترک مسائل کا حل ڈھونڈھ نکالنے کے لئے اپنی تمام تر صلاحیتیں وقف کر دیں گے۔ اگر ایسا ہوا تو یہ واقعی بے حد مناسب ہوگا کیوں کہ آنجہانی صدر کے ادھورے کاموں کی کامیاب تکمیل، دنیا کے نوجوانوں کے ہاتھوں ہوگی ___ اُن نوجوانوں کے ہاتھوں، جن سے جان ایف کینیڈی کو ہمیشہ بہت لگاؤ رہا ___ جنھوں نے میرے بھائی کو اتنی وقعت دی تھی اور جن کے دلوں میں اس کے لئے بڑی جگہ تھی۔

ایڈورڈ ایم کینیڈی

ایڈورڈ کینیڈی، اُن دو بھائیوں میں سے ایک ہیں، جنھوں نے کینیڈی خاندان کی قومی خدمات کی روایت کو جاری رکھا ہے۔ حال ہی میں رابرٹ کینیڈی کے قتل کے بعد اب اس روایت کو آگے بڑھانے کے لئے ایڈورڈ تنہا رہ گئے ہیں۔ وہ امریکی سینیٹ (Senate) میساچوسٹس (Massachusetts) کی ریاست کے نمائندے ہیں۔ اپنے قتل سے پہلے رابرٹ کینیڈی سینیٹ میں نیویارک کی ریاست کے نمائندے تھے۔

ابتدائیہ

نئے صدر نے عہدہ سنبھالا (1961ء)

بڑی سرد دوپہر تھی۔ شمال مغرب کی طرف سے ٹھنڈی ہوائیں چل رہی تھیں لیکن یوم افتتاح (جب کہ امریکہ کا نیا صدر حکومت کی باگ ڈور سنبھالتا ہے) حسین تھا۔ آسمان گہرا نیلا تھا اور کیپٹل کی عمارت، وہ سیاسی مرکز جہاں امریکی قوم کے لئے قوانین بنانے والوں کے اجلاس ہوا کرتے ہیں۔ روشن دھوپ میں مرمریں لبادہ اوڑھے کھڑی تھی۔ اس کے برعکس، دنیا بھر سے آئے ہوئے معزز مہمان جو اس اہم افتتاحی تقریب میں شرکت کے لئے مدعو کئے گئے تھے، وہ سب کے سب سیاہ کوٹوں میں ملبوس تھے۔ ان کے اوپر، ریاستہائے متحدہ امریکہ کا سُرخ، سفید اور نیلا جھنڈا لہرا رہا تھا۔ غرضکہ سارا منظر حسین، پُرسکون اور بے عیب تھا۔

اس پُرشکوہ ماحول کے حسن کو دوبالا کرنے کے لئے بینڈ امریکا دی بیوٹی فُل (حسین امریکہ) کا مدھر نغمہ بجا رہا تھا۔ سامنے، لکڑی کے شہ نشین پر معمر صدر، ڈوائٹ ڈی۔ آئزن ہاور اپنے فرائض ایک نوجوان کو سونپ رہے تھے۔ اس کے ساتھ ہی ایک بڑا سیاسی مقابلہ اختتام کو پہنچا تھا۔ حکومت میں تبدیلی ہو رہی تھی۔ ایک سیاسی دَور ختم اور دوسرا شروع ہو رہا تھا۔ امریکہ آگے بڑھ رہا تھا اور ارتقاء کی ایک اور منزل میں داخل ہو رہا تھا۔ چنانچہ 2- جنوری 1961ء کی اُس سرد سہ پہر کو ٹھیک بارہ بج کر اکیس

منٹ پر، اس افتتاحی تقریب کے افسر انتظامیہ نے اعلان کیا:

''ہم سب یہاں اس آزاد قوم کے پینتیسویں صدر کے دَور کے افتتاح کے لئے جمع ہوئے ہیں!''

چند لمحوں کے بعد جان ایف کینیڈی، صرف پینتالیس سال کی عمر میں ریاستہائے متحدہ امریکہ کے صدر بن گئے، اور انہوں نے حکومت کی باگ ڈور اپنے ہاتھ میں لے لی۔ امریکی تاریخ میں وہ سب سے نوعمر صدر تھے جنہیں قوم کی رہبری کے لئے چنا گیا۔ اس اعلان کے بعد وہ اُٹھ کھڑے ہوئے اور انہوں نے اپنا سیاہ اُوور کوٹ اتارا۔ اس کے بعد وہ چیف جسٹس، ارل وارن کی طرف بڑھے جو امریکی عدلیہ کے اعلیٰ ترین جج تھے۔ پھر جان ایف کینیڈی نے اپنا دایاں ہاتھ اٹھایا اور عہد کیا کہ وہ (اپنی بہترین صلاحیتوں کے مطابق) صدر کے فرائض انجام دیں گے۔

ایک مختصر سی تقریر میں انہوں نے کہا کہ مستقبل کے ہر طرح کے مسائل کے باوجود وہ اپنی خدمات نیک نیتی اور خلوص سے انجام دیں گے، ایسا کرنے میں انہیں، کتنی ہی اُداسیوں اور دُکھ درد کا مقابلہ کیوں نہ کرنا پڑے۔ چاہے کیسا ہی کام کیوں نہ ہو، کیسی ہی مشکلات کیوں نہ ہوں، وہ تمام حالات کا بہادری اور حوصلہ مندی سے مقابلہ کریں گے اور اپنے فرائض سے گریز نہیں کریں گے اور اپنے عہد پر قائم رہیں گے ___ جان کینیڈی کی زندگی کے یہ لمحات بڑے عظیم تھے۔

نئے صدر نے افتتاح کے موقع پر اپنی قوم سے جو خطاب کیا اس کا ایک ایک لفظ ان کی تقریر کے فوراً بعد زبان زد خاص وعام ہوگیا۔ جیک کینیڈی نے نہ صرف امریکی قوم کے بارے میں باتیں کیں بلکہ وہ ساری دنیا کے لوگوں سے بھی مخاطب ہوئے۔ بڑے واضح، پُرفکر الفاظ میں ایک نئے امریکی صدر نے، جس کا ایک نیا طرزِ عمل تھا، دنیا بھر کے عوام کو امید کا پیغام دیا:

''میں چاہتا ہوں کہ اسی وقت اور اسی جگہ سے ہمارے دوست اور دشمن دونوں تک میری آواز پہنچے۔''

نوجوان صدر کینیڈی نے کہا کہ اب نوجوان امریکنوں کی ایک نئی جماعت نے اقتدار سنبھالا ہے۔ یہ وہ لوگ ہیں جو اسی صدی میں پیدا ہوئے ___ اُس دَورِ زندگی میں جو جنگ کے مہیب بادلوں کے زیرِ سایہ پروان چڑھا ہے۔ ان امریکنوں کی تربیت، ایک تکلیف دہ امن نے کی ہے۔ یہ وہ نوجوان ہیں جنہیں اپنے ملک کی تاریخ پر فخر ہے۔ صدر نے کہا۔ ''وہ کسی بھی صورت میں اپنے حقوق سے دست بردار ہونے کے لئے تیار نہیں ہیں ___ وہ حقوق، جن پر پوری قوم کو ناز ہے، جن پر عمل کرنے کے لئے میں نے عہد کیا ہے!''

اس سرد سہ پہر کو نوجوان صدر کی آواز گونجی اور پوری امریکی قوم نے عقیدت سے اور دنیا والوں نے بڑی دلچسپی سے سنا۔ صدر کینیڈی نے کہا۔

''میں دنیا کی ہر قوم سے مخاطب ہوں ___ چاہے اسے ہماری بھلائی منظور ہو یا بُرائی۔ میں یہ واضح کر دینا چاہتا ہوں کہ ہم اپنے اصولوں کے لئے ہر قیمت ادا کریں گے، ہر قسم کے مصائب کا مقابلہ کریں گے۔ لیکن اس کے باوجود اپنے دوستوں کی ہر ممکن مدد کریں گے اور اپنے دشمن کا ہر محاذ پر مقابلہ کریں گے ___ صرف اس کا یقین دلانے کے لئے کہ ہم انسان کی مکمل آزادی کے حامی ہیں ___ اور یہ کہ ہمارے یہ اقدام صرف اس لئے ہوں گے کہ انسان پورے طور پر آزاد رہ سکے۔

''میں ان تمام باتوں کا وعدہ کرتا ہوں اور اس کا بھی کہ اپنی زندگی کے آخری لمحات تک میں ان پر کار بند رہوں گا۔''

وہاں ہزاروں لوگ جمع تھے۔ لاکھوں لوگوں نے ریڈیو اور ٹیلی ویژن پر نوجوان صدر کے پُر فکر الفاظ سُنے۔ ان کی تقریر کا ایک ایک لفظ پُر معنی تھا۔ عمر میں وہ اس مجمع کے بیشتر لوگوں سے چھوٹے تھے جوان کے چاروں طرف تھا۔ اس کے باوجود سب

نے ان کی باتوں پر یقین کیا کیونکہ انداز گفتگو سے صاف واضح تھا کہ نیا صدر پُر خلوص تھا اور وہ اس بات سے پوری طرح واقف تھا کہ وہ کیا کہہ رہا ہے۔

جان کینیڈی ایک ایسے پُر آشوب دور میں پیدا ہوئے تھے جسے ''مصائب اور برہمی'' کا دَور کہا جاتا ہے۔ ان کے والد انگلستان میں امریکہ کے سفیر رہ چکے تھے۔ اس لئے نئے صدر آدابِ سیاست سے واقف تھے۔ انہیں معلوم تھا کہ پوری قوم کی نمائندگی کس طرح کی جاتی ہے۔ وہ اس سے بھی واقف تھے کہ ایسی اہم ذمہ داریوں سے کیسے عہدہ برآ ہونا چاہئے۔ وہ اس سے پہلے امریکی کانگریس کے دونوں ایوانوں میں چودہ سال تک قانون ساز کی حیثیت سے کام کر چکے تھے۔ اس لئے وہ طاقت، اقتدار اور سیاست سب ہی کے مفہوم سے اچھی طرح واقف تھے۔ جنگ عظیم کے زمانے میں، انہوں نے جنوبی بحرالکاہل میں فوجی کمان بھی سنبھالی تھی اور بڑے مشکل حالات میں اپنے ماتحت فوجیوں کی رہنمائی کی تھی۔ اس لئے وہ جنگ کی تباہ کاریوں سے بھی خوب واقف تھے اور جانتے تھے کہ جنگ کتنی خطرناک اور تکلیف دہ ہوسکتی ہے۔

آخر میں صدر کینیڈی نے وہ بات کہی جو امریکی تاریخ میں زندہ جاوید ہوگئی ہے۔ انہوں نے کہا۔

''میرے ہم وطنو ____ یہ نہ پوچھو کہ تمہارا ملک تمہارے لئے کیا کرسکتا ہے۔ یہ پوچھو کہ تم اپنے ملک کے لئے کیا کرسکتے ہو۔''

اسی طرح انہوں نے دنیا والوں سے کہا۔ ''یہ نہ پوچھئے کہ امریکہ آپ سب کے لئے کیا کرسکتا ہے۔ یہ پوچھئے کہ ہم سب مل کر انسان کو غلامی کی لعنت سے نجات دلانے کے لئے کیا کرسکتے ہیں۔''

یہ کہتے ہوئے وہ اس سے بھی پوری طرح واقف تھے کہ اس اعلان کے پس منظر میں کتنا بہت سا کام باقی رہ گیا تھا۔

حصہ اوّل

ابتدائی سال

جیک اور جو

یہ نوعمر صدر آخر کس قسم کا بچہ تھا؟

چلئے۔ ہم آپ کو تاریخ کے دھارے پر واپس لئے چلتے ہیں۔ 1929ء کی بات ہے۔ یہ کینیڈی خاندان کا گھر ہے۔ نیویارک کے عظیم شہر سے چند میل شمال کی طرف، زمین کے ایک بڑے خطے پر یہ حویلی واقع ہے اور یہ خاصی بڑی ہے۔

اس گھر کی بیٹھک میں دو لڑکے آپس میں گتھم گتھا ہیں۔ دراصل یہ تفریحاً لڑ رہے ہیں۔ بڑے بچے کا نام جو، جونیئر ہے اور اس کی عمر چودہ سال ہے۔ یہ صحت مند اور توانا بھی ہے اور خوش شکل بھی۔ اس سے چھوٹے لڑکے کا نام جان ہے جسے سب لوگ جیک کے نام سے پکارتے ہیں۔ اس کی عمر بارہ سال ہے۔ یہ دیکھنے میں چھوٹا نظر آتا ہے اور اپنے بھائی سے دُبلا پتلا۔ اسی کمرہ میں کینیڈی خاندان کے چھ اور بچے بیٹھے اپنے بڑے بھائیوں کی تفریحی جنگ سے لطف اُٹھا رہے ہیں۔ ان میں پانچ لڑکیاں ہیں ____ روز میری، کیتھلین، یونیس، پیٹ اور جین

Rosemary, Kathleon, Eunice, Pat, Jean

اس خاندان کا چھٹا فرد ایک لڑکا ہے ____ بابی ____ جس کا نام رابرٹ ہے اور اس کی عمر چار سال ہے۔ وہ اس گھرانے کے ننھے میاں ہیں۔ نویں بچے کی پیدائش میں ابھی کئی

سال باقی ہیں۔ یہ نواں بچہ ٹیڈی ہے یعنی ایڈورڈ، جو کئی سال کے بعد پیدا ہوا۔

سب کے چہروں سے لگ رہا ہے جیسے انہیں یقین ہو کہ اس لڑائی میں جو کو ضرور کامیابی ہو گی۔ اسے عموماً کامیابی ہوتی ہے کیونکہ وہ زیادہ طاقتور ہے، لیکن اس کی توانائی سے مرعوب ہوئے بغیر، جیک مکّے پر مکّہ لگائے جا رہا ہے۔ خود پٹ بھی رہا ہے لیکن ساتھ ہی بڑے بھائی کی پٹائی بھی کر رہا ہے، بالکل اس طرح جیسے اسے اعتماد ہو کہ وہ آخر میں ضرور جیت جائے گا۔ چند لمحوں کے بعد لڑائی ختم ہو جاتی ہے۔ اس کے ساتھ ہی دونوں میں دوبارہ ملاپ ہو جاتا ہے۔ پھر خاندان کے تمام بڑے بچے، جو اور جیک سمیت، گھر سے باہر کھلے میدان میں ایک خاصا مشکل کھیل کھیلیں گے جس کا نام ٹچ فٹ بال (Touch Football) ہے۔ اس میں بڑی دوڑ دھوپ ہوتی ہے اور چوٹ لگنے کا بھی خطرہ رہتا ہے۔

اس بار ان کے والد جوزف پی کینیڈی سینئر یہ کھیل دیکھیں گے۔ وہ کبھی ایک پارٹی کی حمایت میں نعرے لگا کر بچوں کی حوصلہ افزائی کریں گے اور کبھی دوسرے گروہ کی۔ ان کینیڈی بچوں کا ایک دوست، جسے اب بھی وہ زمانہ یاد ہے، کہتا ہے کہ بڑے میاں خود کبھی کوئی کھیل نہیں کھیلتے تھے۔ انہیں تو اس سے بہتر طریقہ پر وقت گذارنا آتا تھا۔

اس خاندان کے دوسرے افراد کی طرح جوزف پی کینیڈی عام قسم کے انسان نہیں ہیں۔ ان کی عمر چالیس سال سے کچھ زیادہ ہے اور انہوں نے لاکھوں کروڑوں ڈالر کمائے ہیں۔ جوں جوں وقت گزرے گا وہ امریکہ کے دولت مند ترین آدمیوں میں شمار ہوں گے انہیں سیاست سے بڑی دلچسپی ہے اور آگے چل کر وہ حکومت کے کئی اہم عہدوں پر فائز ہوں گے۔ انہوں نے اپنی ابتدائی زندگی میں دولت، بوسٹن میں کمائی۔ جب ان کی تجارت پھیلنے لگی تو وہ اپنے بڑے کنبے

سمیت، 1926ء میں نیو یارک منتقل ہو گئے۔ اُس وقت ان کے دوسرے بیٹے جیک کی عمر صرف نو سال تھی۔ انہیں اپنے پھلتے پھولتے بچوں پر بڑا ناز ہے، اور ان کے مستقبل سے بڑی دلچسپی ہے۔

کینیڈی خاندان کے آباؤ اجداد آئرلینڈ سے ہجرت کر کے امریکہ آئے تھے۔ جوزف کینیڈی کے باپ کا نام پیٹرک کینیڈی تھا۔ انہوں نے بوسٹن میں اس وقت ناسازگار حالات کا مردانہ وار مقابلہ کیا تھا جب آئرلینڈ سے آنے والے مہاجرین کے خلاف بُرے جذبات عام تھے۔ وہ ایک سیاسی رہنما بن گئے۔ جوزف کینیڈی کو بھی بوسٹن میں مخالفت کا صرف اس لئے سامنا کرنا پڑا کہ ان کا تعلق آئرلینڈ سے ہجرت کر کے آنے والے ایک کیتھولک خاندان سے تھا۔ بوسٹن سے نیو یارک منتقل ہونے کی ایک وجہ یہ بھی تھی۔ اس وقت وہ اس بات سے لاعلم تھے کہ ایک ایسا دن بھی آنے والا تھا جب انگلستان میں انہیں امریکی سفیر کا عہدہ سنبھالنا ہوگا۔ اس دن اپنے بچوں کو کھیلتے کودتے دیکھ کر انہوں نے سوچا ___ یہ بچے زندگی کے جوش وخروش سے اس قدر بھرپور ہیں، ان کے حوصلے اتنے بلند ہیں اور کھیل کود میں لڑنے بھرنے سے بالکل نہیں گھبراتے۔ آگے چل کر ان کا کیا بنے گا؟ اس دن انہوں نے زیرِ لب آپ ہی آپ یوں کہا جیسے عہد کر رہے ہوں ___ "مستقبل میں ان کے لئے کچھ بھی لکھا ہو ___ میں ہر قدم پر ان کی ہر ممکن مدد کروں گا۔" صرف دولت سے نہیں (کیونکہ نہیں معلوم تھا یہ بچے خاصے بڑے ورثے کے مالک تھے) ___ بلکہ زندگی سے متعلق ن تمام حقائق سے انہیں روشناس کرا کے جو خود ان کے لئے اتنی اہمیت رکھتے تھے ___ مثلاً ہمت اور شجاعت، انتھک محنت، کامیابی حاصل کرنے کی لگن، اپنے ماندان اور اپنے ملک سے وابستگی اور اس سے والہانہ محبت، مذہب میں پختہ اعتقاد اور قابلوں میں بڑھ چڑھ کر حصہ لینے کی آرزو تاکہ اس سے ترقی کی راہ پر گامزن ہونے

کی صلاحیت ان میں پیدا ہو۔

آج ان بچوں کی ماں، روز کینیڈی بھی ان کے کھیل سے لطف اندوز ہو رہی ہیں۔ وہ اپنے گھر کی ایک کھڑکی کے سامنے بیٹھی ہیں۔ وہ بڑی عقل مند ہیں نہایت خوش مزاج اور حسین۔ ان کے باپ کا نام جان ''ہنی فٹز'' فٹز جیرالڈ (John "Honey Fitz" Fitz Gerald) تھا۔ بوسٹن ہی کے شہر میں وہ کبھی ایک اعلیٰ سیاسی عہدے پر فائز تھے۔ وہ اکثر انتخابات کے سلسلے میں سفر کیا کرتے تھے۔ جیک کو یہ سفر اچھی طرح یاد تھے۔ اُن دنوں میں وہ بچہ تھا اور بروکلن، میساچوسیٹس (Brookline, Massachusetts) میں رہتا تھا، اور اپنے نانا کے ساتھ ان کے سیاسی دوروں پر جایا کرتا تھا۔ اس زمانے میں اس کے نانا، میساچوسیٹس کے گورنر بننے کی کوشش کر رہے تھے۔ یہی تو ریاست کا سب سے بڑا عہدہ تھا۔

جوزف کینیڈی نے اپنے تمام بچوں کی مستقل رہبری کی اور ہمیشہ ان میں مقابلے کا جذبہ پیدا کیا۔ ادھر جب بھی ان کے والد تجارتی یا شہری دوروں پر جاتے، گھر پر بڑے بیٹے جوؔ کی حکمرانی ہوتی۔ جہاں تک گھریلو معاملات اور خاندانی مسئلوں کا تعلق تھا وہ بھی اتنا ہی ثابت قدم تھا جتنا کہ اس کے باپ جوزف کینیڈی۔

خاندان بھر میں صرف ایک جیکؔ تھا جو ہر قدم پر جوؔ کا مقابلہ کرتا۔ عمر میں ان سے قریب جو بچے تھے وہ سب کی سب لڑکیاں تھیں۔ چھوٹے بھائی ان سے بہت چھوٹے تھے۔ اس لئے لڑنے بھڑنے کے لئے صرف دونوں بڑے بھائی ہی رہ گئے تھے۔ ظاہر ہے وہ لڑکیوں سے مار پیٹ تو کر نہیں سکتے تھے۔ اس لئے دونوں بڑے بھائی، جوؔ اور جیک، اکثر خوب لڑا جھگڑا کرتے۔ چونکہ جیکؔ چھوٹا بھی تھا اور کمزور بھی، اس لئے جنگ میں ہمیشہ دوسرے نمبر پر آتا۔

بچوں کے والدین کو، خاص طور پر باپ کو اس جذبۂ مقابلہ اور صحت مند رقابت کا

علم تھا۔ لیکن اس کے باوجود انہوں نے اسے روکنے کی یا اس جذبہ کو دبانے کی بہت کم کوشش کی کیوں کہ انہیں احساس تھا کہ جو Joe جونیئر میں اپنی پختہ عادتوں کے باوجود جہاں چھوٹے بھائی بہنوں کا تعلق تھا ان کے مفاد کو ترجیح دیتا اور ہمیشہ ان کی مدد کے لئے تیار رہتا۔ بہت دنوں کے بعد جیک نے اعتراف کیا کہ اپنے بڑے بھائی سے ہر دم لڑتے جھگڑتے رہنے کے باوجود ان کی دوستی پکی تھی اور دونوں میں بڑا گہرا پیار تھا۔ انہوں نے کہا کہ شروع شروع میں جو بڑا لڑاکو تھا۔ بعد کو وہ بدل گیا۔ ''لیکن'' جیک نے کہا۔ ''جب میں چھوٹا تھا تو اس کا لڑاکوپن اور جھگڑالو طبیعت میرے لئے بڑے ٹیڑھے مسئلے تھے۔''

یہ مسئلہ واقعی تکلیف دہ ہوگا کیونکہ کوئی بھی یہ نہیں چاہتا کہ وہ ہر بار مات کھائے۔ خصوصاً کینیڈی خاندان کے افراد کے لئے، جنہیں بچپن سے ہر میدان میں کامیابی حاصل کرنے کی تربیت دی جاتی تھی، شکست قبول کر لینا آسان نہیں تھا۔ جیک نے ہر بار مات کھا لینا قبول نہیں کیا۔ اس کی وجہ یہ ہے کہ اس کی ہمت کبھی نہیں ٹوٹی۔ جب بھی وہ ہارتا، بار بار اپنے بھائی کو مجبور کرتا کہ وہ یا تو اپنی برتری قائم رکھنے کے لئے لڑے یا شکست قبول کر لے۔ آخر میں جب بھی جیک کو کامیابی ہوتی وہ اس کا دُگنا لطف اُٹھاتا۔

فتح حاصل کرنا اور ہمیشہ باہمت رہنا یہ دو تصورات تھے جو، جوزف کینیڈی نے اپنی اولاد کو عطا کئے۔ یہ کوئی انوکھے خیالات یا جذبات نہیں تھے۔ خود انہیں بھی ان کے والد نے یہی سبق دیا تھا۔ یہ تو دراصل ایک ایسا سلسلہ تھا جو اس خاندان میں عرصے سے جاری تھا۔

جو، جونیئر کے بچپن کا ایک عزیز دوست ہے۔ اس کا نام ٹام اسکرائیبر (Tom Schriber) ہے۔ وہ کہتا ہے۔ ''باپ کی آرزو تھی کہ اس کے بچے مفکر

بنیں اور ہمیشہ عملی زندگی گذاریں۔ وہ اکثر انہیں بلا کر اپنے پاس بٹھا لیتا اور کہتا ____ تم آئندہ چل کر جو بھی بنو یا جو کچھ کرو اس کی مجھے پروا نہیں لیکن جو بھی کرو اُس میدان میں ہمیشہ آگے رہنا اور اپنے فرائض سب سے اچھی طرح ادا کرنا!''

بچوں کو وہ تمام کھیل سکھائے گا جن کے کھیلنے میں صحت مند، طاقتور جسم اور تیز ذہن کی ضرورت ہوتی ہے۔ ہیانس پورٹ (Hayannis Port) جو کیپ کوڈ (Cape Cod) میساچوسیٹس میں ان کا آبائی گھر ہے جہاں عموماً یہ لوگ گرمیاں گزارتے۔ جب بھی بچے وہاں ہوتے وہ فٹ بال کھیلا کرتے۔ وہ سمندر میں کشتی بھی چلاتے اور پیراکی سے بھی جی بہلاتے۔ لڑکیوں نے بھی فٹ بال کھیلنا سیکھ لیا تھا جو خالص مردانہ کھیل تھا اور عموماً برق رفتاری سے کھیلا جاتا۔ بعد کو جب وہ بڑی ہو گئیں تو وہ ظاہر کرتیں کہ یہ کھیل اُنہیں نہیں بھایا۔ اس کی وجہ یہ تھی کہ وہ یہ بتانا نہیں چاہتی تھیں کہ انہیں بھی لڑکوں کے کھیل بھاتے ہیں یا یہ کہ وہ بھی اُن کھیلوں میں دلچسپی رکھتی ہیں۔ جو لڑکوں کو پسند ہیں۔ اس کے باوجود وہ اپنے بھائیوں کی طرح بڑے زور سے گیند بھی پھینک سکتیں اور بھاگ بھی سکتیں۔ اس سے ظاہر ہے کہ وہ اپنے بھائیوں سے پیچھے نہیں تھیں۔ بعض اوقات یہ بھی ہوتا کہ بھائی انہیں بری طرح سے ہرا دیتے۔ پھر تو وہ رونے لگتیں اور روتے ہوئے کھیل کے میدان سے چلی جاتیں۔ لیکن یہ جذبہ وقتی ہوتا۔ تھوڑی ہی دیر کے بعد وہ دوبارہ ہنستی مسکراتی لوٹ آتیں اور کینیڈی خاندان کی روایت پر عمل کرتے ہوئے، اپنی مخالف ٹولی کو ہرانے کی کوشش شروع کر دیتیں۔ اس ٹولی میں عموماً ان کے بڑے بھائی ہوتے۔

کینیڈی خاندان کے افراد عموماً سردیاں، فلوریڈا کی ریاست میں پام بیچ کے مقام پر، اپنے آبائی مکان میں گزارا کرتے۔ وہاں جوزف کینیڈی نے ایک خاص استاد صرف بچوں کی صحت کی نگہداشت کے لئے رکھا تھا، جو اس کا خیال رکھتا کہ یہ

روزانہ کچھ دور تک ضرور پیَریں، اور اپنا زیادہ وقت عملی کاموں میں صرف کریں تا کہ ان کی صحت ٹھیک رہے۔

ایک اور دوست ان کے بارے میں کہتے ہیں:

''ان میں سے ہر ایک، دوسرے پر فوقیت حاصل کرنے کی کوشش کرتا رہتا۔ اس کے ساتھ ہی جب مِل جُل کر کام کرنے کا وقت آتا تو سب ایک دوسرے کا ساتھ دیتے اور اپنے کُنبے کی کامیابی کے لئے زور لگاتے۔ میں نے اس طرح کا تعاون کبھی نہیں دیکھا___ ''ان میں سے ہر ایک کے بڑے اچھے علیحدہ علیحدہ دوست ہیں لیکن اگر اُن سے پوچھا جائے کہ انہیں اپنے بھائی بہن سے زیادہ کون عزیز ہے تو وہ یہی جواب دیں گے کہ کوئی بھی نہیں۔''

بچوں کو ایک شغل بہت پسند تھا۔ وہ تھا کشتی چلانا۔ انہیں جب بھی وقت ملتا وہ کشتی میں ضرور سیر کرتے۔ جب وہ بہت چھوٹے سے تھے تو سب مل کر ایک ہی کشتی میں سیر کو جاتے۔ اس چھوٹی سی کشتی کا نام ٹینوفس (Tenofus) تھا۔ بعد کو ٹیڈی پیدا ہوا تو سب کے لئے اس کشتی میں گنجائش نہیں رہی۔ اس لئے ایک بڑی کشتی خرید کر انہیں دی گئی۔ اس کا نام ان بچوں نے ون مور (One More) رکھا۔ بعد کو جب کسی نے جیک سے اس کی کشتی کے نام کے بارے میں پوچھا تو اس نے جواب دیا کہ اس کا کچھ نہ کچھ تعلق جیتنے سے ہے۔

ان کے بہت سے دوست اب بھی موجود ہیں جو ان کے ساتھ کشتی چلایا کرتے۔ ان میں سے ایک کہتا ہے___ ''جیک اور جو کسی بھی چیز سے نہیں ڈرتے تھے۔ خوف سے وہ بالکل ناواقف تھے۔ وہ گھنٹوں ایسے دنوں میں بھی کشتی لے کر سمندر کی سیر کو جایا کرتے۔ جب پانی کی لہریں، اتنی اونچی ہوتیں کہ اکثر دور سے دیکھنے والوں کی نظر سے ان کی کشتی اوجھل رہتی۔ ایک دن یہ ہوا کہ یہ بچے حسب معمول اپنی کشتی پر سیر کر

رہے تھے۔اس دن سمندر خاصا بپھرا ہوا تھا اور لہریں اونچی دیوار کا سا سماں پیش کر رہی تھیں۔ایسے میں بھلا کس کی مت ماری گئی تھی کہ وہ کشتی لے کر نکلتا۔صرف یہ کینیڈی بچے ہی تھے جن کی کشتی سمندر میں تھی اور باغی لہروں کا مقابلہ کر رہی تھی۔اس دن جو اور جیک کے ساتھ ان کے دو اور ساتھی بھی اس جان جوکھوں والی مہم میں ان کے ساتھ تھے۔کشتی جو اور اس کے ایک دوست کی کمان میں چل رہی تھی۔ان دونوں بڑے لڑکوں نے جیک اور اس کے دوست کو کشتی کے اس حصے پر بیٹھنے کے لئے مجبور کیا جہاں ہواؤں کا زور تھا اور موجیں ان کے چہروں سے آ کر ٹکرا رہی تھیں۔سفر خاصا طویل تھا اور حالات بڑے تکلیف دہ جن کی وجہ سے جیک اور اس کا دوست غصہ میں پھنک رہے تھے۔لیکن بیچارے مجبور تھے، کر کچھ نہیں سکتے تھے۔اس لئے انہوں نے سب کچھ برداشت کیا لیکن خاموشی سے نہیں۔وہ راستے بھر لڑتے جھگڑتے، چیختے چلاتے رہے۔بعد کو جب بھی اس دن کا ذکر آتا وہ خوب ہنستے۔جیک کے دل میں کسی قسم کی تلخی نہیں تھی۔اس نے اسے ایک کھیل سمجھا تھا۔دلچسپ اور صحت مند تفریح۔لیکن اس وقت جب یہ کھیل کھیلا گیا تھا یہ نہ ہنسی ہی کی بات تھی اور نہ کسی قسم کی تفریح کی۔

جس زمانے میں جیک اور اس کے بڑے بھائی نے کھیل کھیل میں اپنے جسم کو صحت مند اور طاقت ور بنانے کی کوششوں میں دلچسپی لی، اسی زمانے میں ان کے والد ان کی ذہنی تربیت میں لگے رہے۔ان کے برانکس ویل (Bronxville) والے گھ میں ایک کمرہ تھا جو کتابوں سے بھرا ہوا تھا۔چاروں طرف دیواروں سے لگی الماریوں میں کتابیں قرینے سے چنی ہوئی تھیں۔جوزف کینیڈی عموماً اپنے بیٹوں کو اس کمرے میں لے جاتے۔وہاں کے پُرسکون ماحول میں بیٹھ کر وہ تازہ ترین خبروں پر اُن سے تبادلہ ءخیال کرتے۔زیادہ تر وہی بولا کرتے اور دونوں لڑکے ان کی مدبرانہ باتیں غور سے سنتے جب بچے بڑے ہو گئے تو یہی باتیں کھانے کی میز پر ہونے لگیں۔

دیکھتے ہی دیکھتے، بہت جلد اس خاندان کے کھانے کی میز کو بڑی اہمیت حاصل ہوگئی کیونکہ عموماً رات کے کھانے کے بعد یہاں بڑے سنجیدہ مسائل پر تبادلہء خیال ہوتا۔ آس پاس کی دنیا میں جو کچھ ہوتا اس کے بارے میں ہر ایک کُھل کر اپنی رائے کا اظہار کرتا۔ اس طرح ان کو مختلف مسائل کے بارے میں ہر قسم کی رائے جاننے اور انہیں سمجھنے کا موقع ملا۔

کینیڈی خاندان بڑا امیر تھا۔ اس کے باوجود ان بچوں کے والدین نے بطور خاص اس بات کی کوشش کی کہ ان کے بچے دولت اور امارت کو زیادہ اہمیت نہ دیں۔ ایک مرتبہ ان کی ماں، روز نے اس کے بارے میں اپنے خیالات کا اظہار کرتے ہوئے کہا۔

''ہم نے انہیں یہ سکھانے کی کوشش کی کہ ترقی کرنے کے کسی موقع کو بھی ہاتھ سے نہیں جانے دینا چاہیے۔ ہم نے انہیں کبھی اس سے زیادہ رقم نہیں دی جتنی کہ ان کے دوستوں کو جیب خرچ کے طور پر مِلا کرتی تھی۔ ہم نے کبھی کسی چیز کو محض اس کی قیمت کی وجہ سے اہم اور قیمتی نہیں سمجھا۔ سچ پوچھیۓ تو ہم نے اپنے گھر کا ایک قانون سا بنالیا تھا کہ گھر کی چاردیواری میں کبھی دولت کی باتیں نہیں کیا کریں گے۔''

کینیڈی گھرانے میں اب بھی ایک خط محفوظ ہے جو جیک نے بڑی چھوٹی عمر میں لکھا تھا اور اس میں اس نے اپنے ہفتہ وار جیب خرچ میں اضافے کی درخواست کی تھی۔ یہ خط بڑا دلچسپ ہے۔ گو کہ وہ اس میں انگریزی زبان کے قواعد کا پابند نظر نہیں آتا۔ پھر بھی اس نے اپنے مقصد کی وضاحت کردی تھی۔

خط اس نے اس تفصیل سے شروع کیا کہ اب تک وہ اپنے ہفتہ وار جیب خرچ کے چالیس سینٹ (تقریباً دو روپے) کھیل کود کی چیزیں خریدنے میں صرف کر دیا کرتا تھا۔ لیکن اب بڑے ہونے کے بعد اس نے ایسی فضول چیزوں پر پیسے ضائع کرنا

چھوڑ دیا___ ''اب سے پہلے میں اپنے جیب خرچ چالیس سینٹ کی آدھی رقم پانچ منٹوں میں خرچ کر دیتا اور کوئی فائدہ نہ اٹھاتا۔'' اس نے لکھا۔ ''لیکن اب بات دوسری ہے۔ اب مجھے ایسی چیزیں خریدنی ہیں جن سے میں سالہا سال مستفید ہو سکوں اور انہیں ہمیشہ استعمال کر سکوں، نہ کہ مٹھائیاں جو زیادہ دیر تک ساتھ نہیں رہتیں۔'' ان تفصیلات کے بعد اس نے مزید تیس سینٹ کے اضافے کی درخواست کی تاکہ وہ مفید اور کارآمد چیزیں خرید سکے اور اچھی طرح رہ سکے۔''

اُس خاندان میں شاذ و نادر ہی پیسوں کو انعام واکرام کے لئے استعمال کیا جاتا تھا۔ جب بچے خاصے بڑے ہو گئے تو باپ نے ہر بچے کو تاکید کی کہ وہ اکیس سال کی عمر تک پہنچنے سے پہلے نہ کبھی کوئی تیز شراب پیئے اور نہ تمباکو نوشی کرے۔ ساتھ ہی خلاف معمول انہوں نے انعام کا بھی لالچ دیا اور کہا ''اگر کوئی بچہ میرے مشورہ پر چلنے کا وعدہ کرے اور اس میں کامیاب ہو تو اسے اکیسویں سالگرہ پر دو ہزار ڈالر (دس ہزار روپے) ملیں گے۔''

ماں باپ نے اپنے بچوں کو یہ راز نہیں بتایا کہ انعام کی یہ رقم تو کچھ بھی نہیں۔ ان میں سے ہر بچہ کے لئے دس لاکھ ڈالر، (پچاس لاکھ روپے) وقف کے طور پر بینکوں میں رکھے ہوئے تھے۔ یہ بڑی رقم انہیں ان کی زندگی کے اکیسویں سال میں ملتی۔ ان کی ماں روز کینیڈی کہتی ہیں کہ ان کے کسی بچے کو یہ راز اس وقت تک نہ معلوم ہو سکا جب تک کہ اخبار والوں نے اس مشہور خاندان کے بارے میں تفصیلی مضامین شائع نہیں کئے۔ ایک مضمون میں اس راز کا بھی ذکر آ گیا۔ پھر تو دنیا والوں کے علاوہ اس خاندان کے بچوں اور بچیوں کو بھی معلوم ہو گیا کہ وہ کتنے دولت مند ہیں۔

یہاں یہ ذکر یقیناً دلچسپی کا باعث ہو گا کہ جوزف کینیڈی بعض ایسے مخصوص خیالات کے حامی تھے جنہیں وہ کسی صورت میں بھی بدلنا نہیں چاہتے تھے۔ اس کے

باوجود انہیں یقین تھا کہ ان کے بچوں کے پاس اتنی دولت ہونی چاہئے کہ وہ جو چاہیں آسانی سے کرسکیں۔ وہ رقم جو وقف کی صورت میں ہر بچے کے لئے رکھی گئی تھی اس کے بارے میں وہ بڑے فخر سے کہتے ہیں:

''میں نے یہ رقم اتنی رکھی کہ اگر میرا کوئی بھی بچہ چاہے تو مجھ سے صاف صاف کہہ سکے کہ میاں ہمیں تمہاری ضرورت نہیں۔ ہم اپنے طور پر اپنی زندگی بسر کریں گے۔''

قریب ہی ویسٹ برونکس (West Bronx) میں ایک مدرسہ تھا جس کا نام ریور ڈیل کنٹری اسکول (River Dale Country School) تھا۔ جیک کو وہاں داخل کیا گیا تھا۔ اس نے وہیں اپنی تعلیم جاری رکھی۔ کبھی کبھار اس کی ماں، اسکول کے قریب سے گزرتے ہوئے اس کے اساتذہ سے ملتی اور یہ معلوم کرتی کہ اس کا بیٹا تعلیمی مرحلے کیسے طے کر رہا ہے۔ جیک کے اساتذہ کو اب بھی وہ دُبلا پتلا، کھویا کھویا سا لڑکا یاد ہے جو بے حد تمیز دار تھا، جسے تاریخ سے بڑا لگاؤ تھا اور جسے بہت جلد غصہ آجاتا تھا۔

اس کے بچپن کے بارے میں اس کی والدہ نے بتایا ہے کہ وہ بڑا ہی خاموش بچہ تھا۔ جی لگا کر پڑھا کرتا۔ سچی بات تو یہ ہے کہ وہ تمام بچوں میں سب سے کم گو تھا۔ میرا خیال ہے کہ اس سے کم سخن بچے بہت کم ہوں گے۔''

روز کینیڈی بھی کیتھولک عقائد کی سچی پیرو تھیں۔ انہوں نے اپنے بچوں کو بھی کیتھولک عقائد ہی کی تعلیم دی۔ اس سلسلے میں اپنے خیالات اور جذبات کا اظہار کرتے ہوئے انہوں نے کہا کہ مذہب کو ایک قومی نقطہء نظر سے جانچنے کی یا اسے ایک سیاسی سوال سمجھنے کے بارے میں انہیں کچھ نہیں معلوم۔ وہ تو صرف یہ جانتی ہیں کہ بچوں کے لئے مذہب اور مذہبی تعلیم ضروری ہے۔ آگے چل کر انہیں اس کے سہارے کی ضرورت پڑتی ہے کیونکہ مذہب، زندگی کو مقصد بخشتا ہے۔

چنانچہ مستقبل نے ثابت کر دیا کہ جیک کینیڈی کی زندگی میں مذہب کو کتنی اہمیت حاصل تھی۔

کینیڈی خاندان کے بچوں کی گھریلو زندگی کے بارے میں روز نے وہ اسباب بتائے جنہوں نے کُنبے کے رشتوں کو اس قدر مضبوط کر رکھا تھا۔ انہوں نے کہا:

''میرا خیال ہے اس کی ایک وجہ ان کا گھریلو پن ہے۔ ہم لوگ ہمیشہ سے ایک بڑے کٹّر کیتھولک کُنبے کا حصہ رہے ہیں جہاں خاندانی زندگی کو اہمیت حاصل رہی ہے ___ میرے شوہر کے رویّے کو بھی اس میں بڑا دخل ہے۔ وہ انتہائی مصروفیات کے باوجود ہمیشہ اپنے بچوں کے لئے وقت ضرور نکالتے۔ ان کے ساتھ اٹھتے بیٹھتے، باتیں کرتے، مختلف موضوعات پر تبادلہء خیال کرتے۔ غرضیکہ وہ اپنے بچوں کے لئے اچھے دوست بھی تھے اور ایسے رہبر بھی جس پر بچے بھروسہ کر سکتے تھے۔''

روز کو اب بھی یاد ہے کہ تمام بچوں میں جیک ہی کو مطالعہ کا زیادہ شوق تھا۔ وہ کہتی ہیں جیک ہمیشہ اپنے ساتھ ایک آدھ کتاب ضرور رکھتا۔ علی الصبح اخبار پر سب سے پہلے قبضہ کر کے اسے بڑی خوشی ہوتی۔ اس کا جی چاہتا کہ اوروں سے پہلے پورے کا پورا اخبار چاٹ جائے۔ جب وہ پڑھنے بیٹھتا تو اپنے ماحول اور گرد و پیش سے بے نیاز وہ اخبار یا اپنی کتاب میں کھویا رہتا۔ زندگی بھر اسے مطالعہ سے یوں ہی والہانہ لگاؤ رہا۔

1930ء میں جب اس کی عمر تیرہ سال تھی وہ پہلی بار گھر سے جدا ہوا۔ کیونکہ اس کا ارادہ کالج میں تعلیم حاصل کرنے کا تھا۔ اس کی تیاری کے لئے ضروری تھا کہ وہ پہلے نیو ملفورڈ کنکٹی کٹ (New Milford Connecticut) کے کینٹر بری (Conterbury) اسکول میں داخلہ لے۔ اس کے معنی یہ تھے کہ اس کے لئے اپنے گھر والوں کے قُرب سے محروم ہونے کے دن آ گئے تھے، وہ قُرب جو اس کے لئے اتنا اہم تھا وہ پیار اور محبت جس کی حرارت نے اس کی زندگی کو ایک مقصد عطا کیا تھا،

اب وہ اس سے محروم ہو رہا تھا۔

اس کے والدین کو یقین تھا کہ اگر بڑے بچوں کی صحیح تربیت ہو تو وہ چھوٹوں کے لئے مشعل راہ ثابت ہوں گے۔ اس طرح جوؔ اور جیکؔ نے خود جو کچھ سیکھا، زندگی سے جو تجربے حاصل کئے، جو تعلیم حاصل کی ان سب سے ان کے چھوٹے بہن بھائی مستفید ہوئے۔ اس طرح دونوں لڑکوں نے چھوٹے بچوں کو بہتر طریقے پر جاننا اور انہیں زیادہ چاہنا سیکھا۔ جب جُدائی کا وقت آیا تو جیکؔ نے سوچا ــــ اپنے عزیز گھر والوں کو چھوڑ کر، ان کے قُرب سے محروم ہو کر، کالج تک پہنچنے کے لئے تیاری کے اسکول میں داخلہ لینا کس قدر تکلیف دہ ہے۔ لیکن اس کے بغیر کوئی چارہ بھی نہ تھا۔

گھر سے دور جانے کے خیال نے اُسے اداس کر دیا۔

تیاری کا اسکول[1]

تنہائی اور اُداسی کا احساس زیادہ دنوں تک نہ رہا۔ کینٹر بری اسکول میں داخلے کے چند مہینوں کے اندر اندر تنہائی کا احساس جاتا رہا۔ جب جی وہاں کے ماحول میں لگ گیا تو اس نے گھر خط لکھا۔ ''میں نے شروع شروع میں بے حد تنہائی محسوس کی۔ لیکن اب ہر چیز معمول پر آ گئی ہے اور حالات ٹھیک ہیں!''

جیک اچھا کھلاڑی تھا۔ وہ تقریباً سب ہی کھیل اچھی طرح کھیل سکتا تھا۔ لیکن جب اس نے اسکول کے لئے فٹ بال کھیلنے کی کوشش کی تو اسے ٹیم میں داخلہ نہیں ملا کیونکہ اس کا وزن بہت کم تھا۔ مایوس ہو کر اس نے دوسرے میدانوں کا رُخ کیا، اور دوسرے کھیلوں میں حصہ لیا۔ جلد ہی اس نے گھر والوں کو اطلاع دی کہ وہ پیرا کی میں اب بہت بہتر ہو گیا تھا۔ آہستہ آہستہ اس کی رفتار بھی تیز ہو گئی تھی اور وہ آدھے منٹ میں پچاس گز کا فاصلہ طے کر سکتا تھا، اور اس کا سانس بھی نہیں پھولتا تھا۔

لیکن پڑھائی میں اس کی ترقی اوسط درجے کی ہی رہی۔ ایک مرتبہ اس کے استاد نے اس کی رپورٹ میں یہ لکھا کہ اس میں اس سے بہتر نمبر حاصل کرنے کی صلاحیتیں موجود ہیں۔

کئی مہینوں کے بعد جب جیک نے خود اس طرف دھیان دیا اور ذرا زیادہ

---

1. Prep. Schove وہ اسکول جہاں طلباء کو کالج کی تعلیم اور داخلہ کے لئے تیار کیا جاتا ہے۔ (مترجم)

کوشش کی تو اسے احساس ہوا کہ وہ جو کچھ پڑھتا تھا اسے وہ واقعی یاد بھی رکھ سکتا تھا۔ چنانچہ اس نے اپنے والد کو لکھا:

''آج کل ہم ''آئی وینہو'' (Ivanhove) پڑھ رہے ہیں۔ گو کہ میں بعض باتیں یاد نہیں رکھ سکتا ___ مثلاً باہر جاتے ہوئے مجھے کون کون سی چیزیں ساتھ لے جانی چاہئیں ___ لیکن میں ''آئی وینہو'' کی قسم کی تحریریں اچھی طرح یاد رکھ سکتا ہوں۔ آخری بار مجھ سے اس کتاب کے بارے میں سوالات کئے گئے تو مجھے بہت اچھے نمبر ملے۔

چند مہینوں کے بعد بدقسمتی سے اس کی صحت نے اس کا ساتھ چھوڑ دیا اور اپنی بیماری کی وجہ سے وہ کینٹر بری اسکول میں اپنا تعلیمی سال پورا نہ کر سکا۔ اگلے سال جیک نے اپنے بڑے بھائی کے اسکول میں داخلہ لیا۔ اس مدرسہ کا نام شوایٹ پریپ اسکول (Choate Prep. School) تھا۔ یہ اسکول بھی کنکٹی کٹ میں تھا اور ملک کے اُس حصے کے بہترین تعلیمی اداروں میں شمار ہوتا تھا۔

کینٹر بری اسکول کو کیتھولک مذہب کے پیرو چلایا کرتے تھے۔ لیکن شوٹ کا اسکول ایسا نہیں تھا۔ جیک کو جس وجہ سے اس اسکول میں داخلہ دلوایا گیا وہ بھی اس کے باپ کے اُس پروگرام کا ایک حصہ تھی جس کے تحت ان بچوں کی تعلیم و تربیت ہو رہی تھی۔ اس کی رُو سے لڑکیوں کو تو خاص طور پر کیتھولک اسکولوں میں بھیجا جا رہا تھا لیکن لڑکوں کو نہیں۔ اس سلسلے میں جوزف کینیڈی کے دلائل سیدھے سادے تھے۔ اس کی دوربین نگاہیں کئی سال بعد کے حالات پر تھیں اور اسے ابھی سے آثار نظر آ رہے تھے کہ ایک نہ ایک دن اس کے بیٹے سیاست میں حصہ لیں گے۔ ایسے اسکولوں میں جو کیتھولک نہ ہوں یا جنہیں کیتھولک نہ چلا رہے ہوں، اس کے امکانات زیادہ روشن تھے کہ وہاں اس کے بیٹوں کا حلقۂ تعارف وسیع سے وسیع تر ہو، ظاہر ہے ایسے اسکولوں

میں وہ مختلف عقیدوں کے ماننے والے بہت سے لڑکوں کو دوست بناتے۔ ان دوستوں کی رفاقت آگے چل کران کے لئے بڑی کارآمد ثابت ہوسکتی تھی۔

غیر مذہبی یا ایسے اسکولوں میں جو کیتھولک نہ ہوں پڑھنے کے باوجود جوزف کینیڈی کےلڑکوں کو ہمیشہ اپنے مذہبی عقائد سے لگاؤ رہا اوران میں وہ برابر دلچسپی لیتے رہے، وہ اکثر طویل خطوں میں گھر والوں کواپنے بارے میں بہت کچھ لکھتے، خاص طور پر یہ کہ ان کا وقت کیسے گزر رہا ہے اور وہ صبح سے شام تک کیا کرتے رہتے ہیں۔

جو، اسکول میں جیک سے بہت آگے تھا۔ چونکہ وہ نسبتاً زیادہ صحت مند تھا اس لئے شوٹ اسکول میں داخلے کے بعد اس نے کھیلوں میں بڑا نام کمایا۔ جیک عمر میں چھوٹا ہونے کے ساتھ ساتھ دُبلا پتلا بھی تھا، اور اس کا وزن بھی اپنے بڑے بھائی سے بہت کم تھا۔ اس لئے بڑے بھائی سے اس کے لئے مقابلہ بڑا مشکل تھا۔ یہ مقابلہ اسے اکثر گراں گزرتا، لیکن اسے کھیل کود سے لگاؤ تھا اس لئے اس نے اپنے ہم عمر، اپنے ہی جیسے دُبلے پتلے لڑکوں کے ساتھ کھیلنا شروع کردیا۔

وہاں اسکول میں ایک استاد فٹ بال کھیلنے والے بچوں کی نگرانی اور تربیت کے لئے مقرر تھا۔ اسے بھی جیک کا بچپن یاد ہے۔ وہ بڑے فخر سے کہتا ہے:

''مجھے اس کے بارے میں جو بات اچھی طرح یاد ہے وہ یہ حقیقت ہے کہ وہ بڑا مستقل مزاج کھلاڑی تھا۔ وہ ہر موقع پر خوب ڈٹ کر مقابلہ کرتا اور آسانی سے شکست قبول نہ کرتا۔۔۔۔۔ یہ صحیح ہے کہ جیک اپنے بڑے بھائی جو کی طرح اچھا کھلاڑی نہیں تھا لیکن اس سے وہ بددل نہیں ہوتا تھا اور ہر وقت محنت کرکے اور دل لگا کر کوشش کرکے کھیل میں کامیابی حاصل کرنے کے لئے تیار رہتا!''

نوعمر کینیڈی کے لئے سب سے اہم مسئلہ اس کی تعلیم کا تھا۔ تاریخ اور انگریزی میں اس کے نمبر دوسروں سے بہتر ہوتے۔ لیکن لاطینی زبان اسے ہمیشہ رُلوا دیتی۔

بعض موضوعات اور مضامین ایسے تھے جن میں اسے بالکل دلچسپی نہیں تھی۔ اس کی وجہ سے وہ کئی بار مصیبت میں گرفتار ہو گیا۔ ایک استاد کا خیال ہے کہ جیک نے ان مضامین پر عبور حاصل کرنے کی کوئی خاص کوشش نہیں کی جس کی وجہ سے اسے اچھے نمبر نہیں ملے۔ اس کے استاد کو یاد ہے کہ اس نے اس سلسلے میں خاص طور پر ان مضامین میں اس کے کم نمبروں کے سلسلے میں کئی بار جیک سے گفتگو کی۔ ہر بار اس نے وعدہ کیا کہ آئندہ زیادہ دلچسپی سے سبق یاد کرے گا، زیادہ محنت کرے گا اور ہر امتحان میں اچھے نمبر حاصل کرنے کی کوشش کرے گا۔ لیکن ہوتا وہی جو پہلی بار ہوا تھا۔ بقول اس کے استاد کے۔ ______ اس سلسلے میں وہ اپنے ہم عمر دوسرے بچوں کی طرح تھا۔ جو باتیں زیادہ کرتے ہیں اور کام کم۔

دن ہفتوں میں، ہفتے مہینوں میں اور مہینے سال میں تبدیل ہوئے اور وقت گزرنے کے ساتھ ساتھ جیک نے قد نکالنا شروع کر دیا، اس کی شکل وصورت بھی بہتر ہوگئی اور اب اسے اپنی ذات پر بڑا اعتماد پیدا ہو گیا۔ خاندان کے مضبوط رشتے ابھی تک باقی تھے۔ اس کے ساتھ ہی اس میں، گہری فکر میں ڈوب کر اپنے آپ کو سمجھنے کی صلاحیت بھی پیدا ہو رہی تھی۔ اسے معلوم تھا کہ وہ جیک کینیڈی ہے جس کی بعض مخصوص دلچسپیاں، انفرادی جذبات واحساسات ہیں۔ اس میں بعض کمزوریاں بھی تھیں لیکن اس کے ساتھ ہی اس میں کچھ چیزوں کو بہت اچھی طرح نہایت سلیقے سے کرنے کی صلاحیت بھی پیدا ہو گئی تھی۔ جیک نے آہستہ آہستہ یہ محسوس کیا کہ اپنی صحیح نشوونما کے لئے اپنی دلچسپیوں کو بروئے کار لانا اور ان سے پورا پورا فائدہ اٹھانا ضروری ہے۔ اس نے سوچا کہ اسے وہ کام ضرور کرنے چاہئیں جو وہ اچھی طرح کر سکتا ہے۔ اس کے ساتھ ہی اس کے لئے یہ بھی ضروری تھا کہ وہ جب بھی ممکن ہو سکے اپنی کمزوریوں پر قابو پا لے۔ جیسے جیسے اس کی عمر بڑھی اسے یہ بھی احساس ہوا کہ اس کی

دلچسپیاں بہت زیادہ ہیں۔اس کا ایک دوست کہتا ہے۔''اس زمانے میں اگر کہیں بھی کچھ ہوتا تو جیک اس کا ایک حصہ ہوتا۔''

جیک کینیڈی کو معلوم تھا کہ اس کے باپ کی خواہش تھی کہ اس کا بیٹا بڑی ترقی کرے اور ہر چیز، ہر کام سلیقے سے کرے۔لیکن چین سے بیٹھ کر اُن چیزوں کی تعلیم حاصل کرنا اس کے لئے آسان نہیں تھا جن سے اسے مطلق دلچسپی نہیں تھی۔چنانچہ اس نے ایک بار اپنی ماں کو لکھا کہ اگر یہ کم بخت لاطینی زبان اس کی جان کو نہ لگی ہوتی تو بہت ممکن تھا کہ وہ کالج کے تربیتی اسکول میں سب سے آگے ہوتا۔لیکن اب تو ایسا لگ رہا تھا کہ وہ اس مضمون میں ناکام ہو جائے گا۔بعد کو اس نے لکھا کہ بہت ممکن ہے اس کے والد یہ سمجھیں کہ وہ اپنی ناکامی کے لئے اسباب تلاش کرنے کی کوشش کر رہا ہے۔ لیکن حقیقت یہ نہیں تھی۔اس نے اپنی اماں کو یقین دلایا۔اسے اپنی پڑھائی کے بارے میں اتنے خدشے صرف اس وجہ سے تھے کہ اسے اپنے باپ کی باتیں یاد تھیں۔باپ نے ایک بار بتایا کہ لوگوں کی ابتدا کس طرح شاندار ہوتی ہے اور پھر وہ کیسے ناکامی کی سیڑھی پر نیچے ہی نیچے پھسلتے چلے جاتے ہیں۔

جب جیک کا جی چاہتا تو وہ کسی بھی کام میں کچھ اس قدر کھو جاتا کہ اسے اس کی خبر ہی نہ ہوتی کہ اس کے چاروں طرف کیا ہو رہا ہے۔اس کے اسکول کے زمانے کے ایک ساتھی کو یاد ہے کہ جب جیک کسی کتاب کے مطالعے میں مصروف ہوتا تو اس سے باتیں کرنا ناممکن تھا۔وہ تو اس میں کچھ اس قدر کھو جاتا کہ اسے ہوش ہی نہیں رہتا کہ کمرہ میں اس کے علاوہ بھی کوئی اور موجود ہے۔

ایسی بہت سی شامیں آتیں جب جیک اپنے بڑے بھائی سے ملنے جاتا پھر جو باتوں کا سلسلہ چل نکلتا تو رکنے کا نام ہی نہ لیتا۔دنیا کے ہر موضوع پر تفصیلی باتیں ہوتیں۔جو موضوع بھی سامنے آتا یا جس کا بھی ذکر ہوتا، اس پر کھل کر تبادلہء خیال

ہوتا۔ مثلاً یہ کہ اپنے اپنے اسکولوں کے کون کون سے پہلو انہیں ناپسند ہیں یا یہ کہ شوٹ اسکول اور دوسرے کسی مدرسے کے درمیان ہونے والے اگلے فٹ بال میچ میں ان کے اپنے اسکول کے جیتنے کے امکانات کیا ہیں وغیرہ وغیرہ۔ وہ عمر کے اُس دور میں تھے جب لڑکیوں کے بارے میں بھی باتیں کرتے۔

وہ دور جب ہر وقت دونوں پر ایک دوسرے سے سبقت لے جانے کی دُھن سوار رہتی اور جب دن رات بات بات پر مقابلے ہوا کرتے، گزر چکا تھا۔ اس کی جگہ برادرانہ محبت، گہری سوجھ بوجھ اور ایک دوسرے کو سمجھنے کی پُرخلوص لگن نے لے لی تھی۔ دونوں طبیعتاً ایک دوسرے سے مختلف تھے۔ جو کا رویّہ ہر ایک سے بڑا دوستانہ تھا۔ جیک اس کے مقابلہ میں کم سخن تھا لیکن اس کے باوجود اس کا دل خلوص کا سرچشمہ تھا اور عموماً اس کی دوستی پکّی اور گہری ہوتی تھی۔ بہت سے لڑکے اور استاد جو اس زمانے میں شوٹ اسکول میں تھے انہیں اچھی طرح یاد ہے کہ اس اسکول میں داخلے کے بعد دونوں بھائیوں نے آپس میں لڑنا جھگڑنا چھوڑ دیا تھا۔ جب تک یہ دونوں وہاں رہے ان کا یہی رویّہ رہا۔

جو کا ایک دوست تھا جس کا نام ٹام اسکرائبر (Tom Schriber) تھا۔ اس کا کہنا ہے کہ اُس زمانے میں جیک کے جذبات کچھ ایسے تھے جیسے اسے شدت سے حساس ہو کہ وہ ایک چھوٹا بھائی ہے، ایسا برادرِ خورد جو ہر معاملے میں اپنے بڑے بھائی کی برابری کرنے کی کوشش میں لگا ہوا ہو یا دل ہی دل میں برابری کا خواہش مند ہو۔ یہ جذبات اس کے دل میں تھے لیکن ان کا اظہار نہیں کرتا تھا۔

دیکھتے ہی دیکھتے جو بڑا ہو گیا۔ کل تک وہ بچہ نظر آتا تھا لیکن اب وہ نوجوان لگتا تھا۔ چونکہ وہ جیک سے عمر میں بڑا تھا اس لئے جیک کے مقابلے میں جوانی کے آثار بھی اس میں پہلے پیدا ہو گئے۔ اس سلسلے میں جیک بیچارہ کچھ نہیں کر سکتا تھا۔ پھر بھی

دلچسپ بات یہ تھی کہ دونوں میں رقابت کے آثار نہیں پیدا ہوئے۔ دونوں ایک دوسرے سے اتنے ہی قریب رہے جتنے کہ دو بھائی ہو سکتے ہیں۔ اگر جو، آج زندہ ہوتا تو یقیناً جیک سیاسی میدان میں اسے بہت پیچھے چھوڑ جاتا۔ کہتے ہیں ہونہار بروا کے چکنے چکنے پات ____ اس حقیقت کی جھلک جیک میں اسی وقت نظر آ گئی تھی جب وہ اسکول ہی کا طالب علم تھا۔ جیک اپنی رائے بدلنے پر آمادہ نظر آتا لیکن جو اپنی بات پر اڑا رہتا۔

شرائبر یہ بھی کہتا ہے کہ کبھی کسی بات پر دونوں لڑ بھی پڑے تو یہ لڑائی عموماً زبانی ہوتی۔ مار پیٹ کی نوبت نہیں آتی، اور اگر کبھی کبھار غصہ میں جھنجھلا کر کوئی بھائی دوسرے پر حملہ کر دیتا تو لاشعوری طور پر اس کا خیال رکھتا کہ جسمانی طور پر کسی کو نقصان نہ پہنچے۔ ایسے جھگڑے عموماً گھر پر ہوا کرتے اور فساد کی جڑ وہ کشتی تھی جس سے دونوں کو دلچسپی تھی۔ جب دونوں کشتی کی سیر پر نکلتے تو جیک عموماً کشتی کو ایک سمت لے جانا چاہتا اور جو اس کے مخالف رُخ۔ جو عمر میں بڑے ہونے کے علاوہ اب زیادہ طاقت ور بھی تھا۔ اس لئے ایسے جھگڑوں میں وہی کامیاب ہوتا اور اپنی مرضی سے جہاں جی چاہتا کشتی لے جاتا۔ اس سلسلے میں دلچسپ بات یہ تھی کہ جب بھی کشتی پر لڑائی ہوتی تو بہت جلد جیک کا دل صاف ہو جاتا۔ تھوڑی ہی دیر کے بعد وہ ہنسی خوشی بڑے بھائی کا یوں ساتھ دیتا جیسے کچھ ہوا ہی نہ ہو۔

ٹام شرائبر کو یاد ہے کہ کشتی چلانے کے علاوہ بھی دونوں بھائی بہت سے کام ساتھ ساتھ کرتے۔ اپنے والد کی رہنمائی میں وہ اُس زمانے کے اہم مسئلوں پر غور وفکر کرنا سیکھ رہے تھے۔

شرائبر کو بطور خاص ایک واقعہ یاد ہے۔ اس کا کہنا ہے کہ گرمیوں کے دن تھے اور یہ لوگ اپنے برانکس ویل (Bronxville) والی کوٹھی کے کشادہ کتب خانے میں جمع

تھے۔ دیواروں پر، چاروں طرف موٹی موٹی جلدوں والی بے شمار کتابیں نظر آ رہی تھیں۔ باپ ایک آرام کرسی پر نیم دراز تھا، لڑکے اور ان کے دوست سامنے بیٹھے اس کی باتیں غور سے سن رہے تھے۔ موضوع گفتگو تھا ___ ''سویلین کانزرویشن کور'' (Civilian Conservation Corps) یہ وہ زمانہ تھا جب امریکہ بدترین معاشی بحران کا شکار تھا۔ نوکریاں عنقا ہوگئی تھیں اور ہر طرف بے روزگاری کا دور دورہ تھا۔ تجارت کو بڑا نقصان پہنچ رہا تھا۔ ان حالات کا مقابلہ کرنے کے لئے امریکہ کے صدر فرینکلین ڈی روزویلٹ نے ایک نئے منصوبے کو عملی جامہ پہنایا تھا جس کا نام ''سویلین کانزرویشن کور'' تھا۔ اس کے تحت لوگوں کو نوکریاں مہیا کی جاتی تھیں اور لوگوں کو پریشانیوں سے بچانے کے لئے دوسرے اقدام کئے جا رہے تھے تاکہ ملک اس معاشی بحران سے نکل سکے۔ جب جیک اور جو کو ان کے والد سے ان پریشان کن حالات کا علم ہوا تو ان لوگوں نے بہت جلد اس اہم ملکی موضوع پر بھی اپنے خیالات کا اظہار شروع کیا۔ تقریباً گھنٹہ سوا گھنٹہ تک ان لڑکوں نے صدر روزویلٹ کے اس منصوبے کے مختلف پہلوؤں پر باتیں کیں۔ جب خاصی دیر کے بعد یہ گفتگو ختم ہوئی تو ہمیں اس کے بارے میں اتنا ہی معلوم تھا جتنا کہ بڑوں کو۔

شرائبر کو یاد ہے کہ اس گفتگو کے بعد جیک اور جو گھر سے باہر نکلے، وہاں میدان میں ان کے چھوٹے بھائی اور ان کے دوست ٹچ فٹ بال کھیل رہے تھے۔ چھوٹوں نے بڑوں کو اپنی طرف آتے دیکھا تو خوشی خوشی جو، جوئز اور شرائبر کو بھی کھیل میں حصہ لینے کی دعوت دی۔

ایک اخبار نویس کو اُس دن کی کہانی سناتے ہوئے ٹام شرائبر نے کہا۔

''بڑا ہی دلچسپ سماں تھا۔ وہاں بہت سے بچے جمع تھے جو ہمارے چاروں طرف دوڑتے پھر رہے تھے۔ ہم ان سے عمر میں بڑے بھی تھے اور زیادہ مضبوط بھی۔

اس لئے کھیل میں ہم کئی بار جیتے۔ لیکن ان کی تعداد اتنی زیادہ تھی کہ یہ ہمیں پتہ نہیں چلتا تھا کہ کب کیا ہونے والا ہے یا کس طرف سے حملہ ہونے والا ہے۔ اس سلسلے میں یہ یاد رکھنا ضروری ہے کہ برانکس ویل کی کوٹھی کے چاروں طرف بہت سے درخت تھے۔ میں ہمیشہ بھاگتے ہوئے درختوں اور گیند دونوں پر نظر رکھتا تھا۔ لیکن جو، جیک اور ان کا چھوٹا بھائی بابی یہ نہیں کرتے تھے۔ وہ کھیل میں اس قدر کھو جاتے کہ روزانہ ان میں سے کوئی نہ کوئی ضرور درختوں سے ٹکراتا اور پھر انہیں گود میں اُٹھا کر گھر پہنچایا جاتا۔"

اسی طرح ہنسی خوشی وقت گزرتا رہا اور اسکول کا آخری سال آ گیا۔ اُس وقت تک جیک اور اس کے دوست لیمائن بیلنگز (Le Mayne Billings) نے مصمم ارادہ کرلیا کہ وہ اپنا زیادہ وقت پڑھائی میں صرف کریں گے۔ لی اور جیک دونوں ایک ہی کمرے میں رہتے تھے۔ جیک نے اپنے والد کو لکھا کہ وہ اور لی دونوں یہ چاہتے ہیں کہ کسی طرح محنت کر کے امتحانوں میں بہتر نمبر حاصل کریں ___ "ہم نے یہ فیصلہ کیا ہے کہ اب کھیل کود بند کر دیں گے۔ اس کی وجہ یہ ہے کہ مجھے اس کی اہمیت کا احساس ہے۔ اگر مجھے انگلستان جانا ہے تو اس سال امتحانوں میں شاندار کامیابی حاصل کرنی ہوگی۔ مجھے اس کا بھی احساس ہوگیا ہے کہ میں نے اب تک پڑھائی میں کچھ زیادہ محنت نہیں کی۔"

اس کے بعد جیک نے دیکھتے ہی دیکھتے اچھے نمبر حاصل کرنا شروع کر دیئے۔ (چونکہ اُس نے بہتر نمبر حاصل کئے، اس لئے اس کے والد نے حسب وعدہ اس کے دورے کا انتظام کر دیا۔)

ہو سکتا ہے آپ کے ذہن میں یہ سوال پیدا ہو کہ کیا جیک نے صرف اپنی انگلستان جانے کی خواہش کو پورا کرنے کے لئے امتحان میں اچھے نمبر حاصل کئے تھے؟ دراصل اس کی کامیابی کے پس منظر میں نہ بیرونی دورے کی خواہش کارفرما تھی اور نہ

کسی مالی فائدے کا لالچ۔ آیئے ہم آپ کو بتاتے ہیں کہ حقیقت کیا تھی۔

اس کے والد کی زندگی بڑی مصروف تھی۔ اس کے باوجود وہ اپنے بیٹوں سے، پابندی سے خط و کتابت کے لئے وقت نکال لیا کرتے۔ انہوں نے ایک بار اسی زمانے میں جیک کو خط لکھا:

''میرے بیٹے ___ یہ نہ سمجھو کہ میں تم پر پڑھائی کے لئے زور ڈال رہا ہوں۔ ماں باپ کے لئے یہ نہایت بُری بات ہے کہ وہ کسی بات کے لئے اپنے بچوں کو مجبور کریں۔ تمہارے سلسلے میں بات ذرا مختلف ہے۔ برسہا برس تک میں نے لوگوں کا مطالعہ کیا ہے اور ان کے بارے میں صحیح رائے قائم کرنے کا مجھے خاصا طویل تجربہ ہے۔ اسی تجربہ کی بنا پر کہہ رہا ہوں کہ مجھے معلوم ہے کہ تم بہت ترقی کر سکتے ہو ___ اس سلسلے میں ایک سوال پوچھوں بیٹے؟ خدا نے تمہیں بہت سی صلاحیتیں دی ہیں۔ ان سے پورے طور پر فائدہ نہ اٹھا کر کیا تم بہت سی نعمتوں سے محروم نہیں ہو؟''

جیسا کہ ہم بتا چکے ہیں جوزف کینیڈی اپنے بیٹوں کے لئے مشفق بزرگ بھی تھا اور اچھا دوست بھی۔ اس نے لکھا۔ ''اگر میں ان باتوں کی طرف تمہاری توجہ نہ دلاؤں تو میں تمہارا اچھا دوست کیسے ہو سکتا ہوں؟ میں تو صرف تمہیں یہ بتانا چاہتا ہوں کہ تمہیں خدا کی عطا کی ہوئی صلاحیتوں سے بہتر سے بہتر طریقے پر، پورے طور پر فائدہ اٹھانا چاہیے۔ وقت کسی کے لئے نہیں رکتا اور ہر کام کے لئے صرف ایک مناسب وقت ہوتا ہے۔ بہت سے کام ایسے ہیں جو بچپن میں بہت اچھی طرح کئے جا سکتے ہیں۔ بڑے ہو کر تم ایسے کام مشکل ہی سے کر سکتے ہو۔ اس لئے جب اس کام کے کرنے کا صحیح وقت گزر جائے تو پھر آگے چل کر اسے مکمل کرنا آسان نہیں ہوتا۔ اسی لئے میں تم سے کہتا ہوں کہ جو کچھ تم اب کر سکتے ہو اسے بہترین طور پر کرو ___ میں تم سے بہت زیادہ کی توقع نہیں کرتا۔ لیکن میرا خیال ہے تم میں سوجھ بوجھ بھی ہے اور کسی

مسئلے کے بارے میں مناسب فیصلہ کرنے کی صلاحیت بھی موجود ہے!''

اس ایک واقعہ سے آپ کو اندازہ ہو گیا ہو گا کہ جوزف کینیڈی اپنے بچوں کی کس طرح، کتنی دانشمندی سے رہنمائی کیا کرتے تھے۔ جب تک بچے اسکولوں میں رہے انہیں اپنے والد کی ایسی ہی ہدایتوں کا سہارا حاصل رہا۔ ایک دوست کا کہنا ہے کہ جیک کے والد کی سب سے اہم خصوصیت، (جسے آپ دوسرے والدین پر فوقیت بھی کہہ سکتے ہیں) یہ تھی کہ وہ اپنے بچوں سے ہمیشہ بے حد قریب رہے۔۔۔ جسمانی طور پر بھی اور روحانی طور پر بھی۔ ایک دوسرے دوست کہتے ہیں کہ انہوں نے اپنے بچوں کی مدد ضرور کی لیکن انہیں کسی کام پر مجبور نہ کیا۔ ان کے جذبات کو دیکھتے ہوئے یوں محسوس ہوتا ہے جیسے زندگی کے ہر مرحلے پر انہوں نے سوچا ہو۔۔۔ کاش میں ان کے لئے اس سے زیادہ کرتا!

جب جیک شوٹ اسکول کے آخری سال میں تھا اس وقت اس کی عمر اٹھارہ سال تھی۔ اس کا قد اب خاصا نکل آیا تھا اور لوگ اسے خوش شکل سمجھنے لگے تھے۔ اپنی جماعت کے لڑکوں میں وہ مقبول تھا۔ گو کہ بعض لوگوں کا خیال ہے کہ وہ بہت ہی خاموش اور کم سخن لڑکا تھا لیکن اس کے قریبی دوست اور ہم جماعت طلباء کی رائے اس کے بارے میں ذرا مختلف ہے۔ ایک ساتھی کہتا ہے کہ جیک بڑا صاف گو تھا۔ وہ کسی بھی موضوع پر اپنی رائے کا اظہار دوسروں کے خیال کی پروا کئے بغیر بڑی صاف گوئی سے کر دیتا تھا۔ اسے بڑی جلدی غصہ آ جاتا تھا لیکن یہ غصہ زیادہ دیر تک نہیں رہتا تھا۔۔۔ ''یہ بالکل صحیح ہے کہ وہ سر تا پا جلوۂ بے دور بھی نہیں تھا!''

اسی زمانے میں جیک کو احساس ہو گیا کہ کامیابی حاصل کرنے کے لئے دو چیزیں ضروری ہیں۔۔۔ اوّل کہ کچھ کرنے کی صلاحیت اور دوم محنت، ۔۔۔ انتھک، پُر خلوص محنت!

اسکول کے آخری دنوں میں اس میں ترقی کے آثار پیدا ہو گئے اور وہ بہتر نمبروں سے امتحان پاس کرنے لگا جس کی وجہ سے اسے اعلیٰ تعلیم کے لئے پرنسٹن یونیورسٹی میں داخلہ مل گیا۔ لیم بیلنگز کو بھی پرنسٹن میں داخلہ مل گیا۔ لیم، جیک کے ساتھ شوٹ کے اسکول میں تھا۔ جیک کا بڑا بھائی جو ہارورڈ میں زیرِ تعلیم تھا۔ اسی صدی کی ابتدائی برسوں میں ان کے والد جوزف کینیڈی نے بھی یہیں تعلیم حاصل کی تھی۔ پرنسٹن پہنچنے کے بعد جیک نے اپنے طور پر کچھ کرنے کی، اور کچھ پانے کی آزادی محسوس کی۔

1935ء کے موسم بہار میں، جیک نے شوٹ اسکول میں اپنی تعلیم مکمل کر لی۔ اس کی کلاس نے اسے مستقبل میں سب سے کامیاب زندگی گزارنے والا ہونہار نوجوان قرار دیا۔ بالکل اسی طرح جیسے واقعی اس کے ساتھیوں کو جیک کینیڈی کا مستقبل صاف نظر آ رہا ہو اور انہیں یقین ہو کہ زندگی میں بے شمار کامیابیاں اس کے قدم چومیں گی۔

معاشی بُحران

جیسا کہ ہم اس سے پہلے آپ کو بتا چکے ہیں، 1929ء کے اواخر میں جبکہ جیک کینیڈی کی عمر بارہ سال تھی، ریاستہائے متحدہ امریکہ بدترین معاشی بحران کا شکار ہوگیا۔ اس کے بعد تباہی کا ایک ایسا سیلاب آیا، جس میں لوگوں نے اپنی تمام پونجی کھودی۔ بعض راتوں رات کنگال ہو گئے۔ بینک دیوالیہ ہو کر بند ہو گئے، نیویارک کی وال اسٹریٹ میں امریکہ کا شیئر بازار ہے۔ یہاں سے ہزاروں لاکھوں امریکنوں نے بہت سی صنعتوں کے حصے خریدے تھے۔ ان لوگوں کی اکثریت ایسے لوگوں پر مشتمل تھی جو دفاتر میں کلرک تھے، کسان تھے، اور مزدور تھے۔ ان میں گھر کی بیبیاں بھی تھیں۔ ان سب نے اپنی وہ پونجی کھودی جو انہوں نے برسہا برس تک اپنی تمام عمر کی کمائی میں سے بچا کر جمع کی تھی۔ اچانک لاکھوروں کروڑوں آدمیوں نے اپنے آپ کو بے روزگار پایا۔ بہت سے امریکنوں نے تلخ حقائق کی تاب نہ لا کر خودکشی کر لی۔

آج اس خوف اور ہراس کا اندازہ لگانا آسان نہیں جو اُس معاشی بحران کے زمانے میں امریکہ پر چھا گیا تھا۔ حکومت نے لوگوں میں مفت کھانا تقسیم کرنے کا انتظام کیا تھا۔ جگہ جگہ لنگر کھولے گئے تھے۔ جہاں پیٹ بھر کھانے کے لئے لوگ گھنٹوں قطار میں کھڑے رہتے۔ ان میں مرد بھی ہوتے، عورتیں بھی ہوتیں۔ اگر کسی کو چند ڈالر فی ہفتہ کی ملازمت مل جاتی تو وہ خوشی سے پھولا نہ سماتا۔ بیشتر لوگوں کے لئے تو یہ دور

بڑا ہی منحوس تھا، ایک انتہائی تاریک زمانہ، جہاں امید کی کسی کرن کی چمک نہ تھی۔

بہر حال ملک کے اس معاشی بحران نے جوزف کینیڈی سینئر اور ان کے خاندان والوں کو بالکل متاثر نہیں کیا۔ اس بحران کی ابتداء سے صرف مہینہ بھر پہلے، جوزف نے یکا یک اسٹاک مارکیٹ سے اپنا تمام سرمایہ نکال لیا تھا۔ یہ وہ دن تھے جب شیئر کے بازار میں روزانہ لوگ بہت کچھ کما رہے تھے، اس لئے جوزف کینیڈی کا یہ عمل اس وقت خاصا احمقانہ نظر آیا ہوگا۔

کئی سال کے بعد جوزف نے اخباری نمائندوں کو اس کی اس بظاہر احمقانہ حرکت کا راز بتایا۔ ان کے بیان کے مطابق وہ ایک دن امریکہ کے مشہور تجارتی مرکز، وال اسٹریٹ سے گزر رہے تھے۔ انہیں یکا یک خیال آیا کہ ان کے جوتوں کو پالش کی ضرورت تھی، اس لئے فٹ پاتھ پر چلتے چلتے وہ ایک دکان پر رک گئے۔ جہاں کئی لڑکے بوٹ پالش کر رہے تھے۔ جس لڑکے نے ان کے جوتوں کی پالش کی وہ ان سے واقف نہیں تھا۔ وہ نہایت باتونی تھا۔ پالش کرتے کرتے اس نے سر اُٹھا کر جوزف کو دیکھا اور بتایا کہ اس دن بعض شیئرز کے بھاؤ کیا ہوں گے اور یہ بھی کہ شام تک شیئر بازار کیا رُخ اختیار کرے گا۔ وہ کہتے ہیں ـــــ ''میں نے اس کی باتیں بڑے غور سے سُنیں اور جب میں وہاں سے دوبارہ فٹ پاتھ پر آ گیا میں نے سوچا ـــــ بوٹ پالش کرنے والا یہ لڑکا بھی اسٹاک مارکیٹ کے بارے میں اتنا ہی جانتا ہے جتنا میں جانتا ہوں۔ جب صورت حال یہ ہو تو اس کا مطلب یہ ہے کہ یا تو مجھ میں کوئی خرابی ہے یا اسٹاک مارکیٹ میں۔ اس کے معنی یہ ہیں کہ مجھے جلد از جلد ایسے بازار سے اپنا سرمایہ اٹھا لینا چاہئے۔ اس کے بعد میں نے بالکل یہی کیا!''

1920ء سے لے کر 1929ء تک کا یہ دور پریشان کُن تھا ہی بیسویں صدی کی تیسری دہائی بھی ملک کے لئے کوئی اچھا شگون لے کر نہیں آئی۔ ملک کی حالت خراب

رہی۔ لیکن جوزف کینیڈی کا کام خوب چل رہا تھا۔ اس کے پاس دولت کی ریل پیل تھی اور وقت تھا۔ اس کے ساتھ ہی سیاست اُسے گھٹی میں ملی تھی۔ اس کے علاوہ اس کا ایک ایسا دوست بھی تھا جس کا ستارہ عروج پر تھا۔ سیاسی میدان کا یہ شہ سوار فرینکلن ڈی روز ویلٹ تھا۔

1932ء میں امریکہ کی ڈیموکریٹک پارٹی نے روز ویلٹ کو صدارتی انتخابات میں اپنا نمائندہ چُنا۔ جوزف کینیڈی، روز ویلٹ کے اہم ترین حامیوں میں سے تھا۔ جوزف اکثر مذاق میں اپنے قریبی دوستوں سے کہتا:

''میں وہ واحد امریکی ہوں جس کے پاس بارہ ڈالر سے زیادہ ہیں اور جوزف روز ویلٹ کا حامی ہے!'' ایک طرح سے اس کا کہنا بالکل صحیح تھا۔ کیوں کہ ری پبلیکن پارٹی اور بہت سے دولت مند امریکی، روز ویلٹ سے خائف تھے۔ روز ویلٹ کا مشہور و معروف نظامِ نو (New Deal) کا منصوبہ انہیں ایک آنکھ نہ بھاتا۔ یہ وہ منصوبہ تھا جس پر عمل کر کے اس نے ملک کو معاشی بحران سے نکال کر قومی معیشت کو سنبھالا دینے کا مصمم ارادہ کیا تھا۔ جوزف کینیڈی کو روز ویلٹ کے خیالات سے مکمل اتفاق تھا۔ چنانچہ اس نے انتخابی مہم میں، ڈیموکریٹک نمائندے کی حمایت میں اپنی طرف سے دس ہزار ڈالر (پچاس ہزار روپے) کا عطیہ دیا اور اپنی مکمل حمایت کا اعلان بھی کیا۔

1932ء کے آخر میں جب جیک شوایٹ اسکول میں تھا، فرینکلن روز ویلٹ امریکہ کے صدر منتخب ہوئے۔ 1933ء کے شروع میں ان کے عہد صدارت کا افتتاح ہوا۔ عنانِ حکومت سنبھالنے کے سال بھر کے بعد صدر روز ویلٹ نے اپنے دوست جوزف کینیڈی کو ایک نئے سرکاری شعبہ کی سربراہی سونپی۔ ان کے اس نئے محکمے کا نام ''دی کیوریٹیز اینڈ ایکسچینج کمیشن (The Curities and Exchange

(Commission تھا۔ اس محکمہ کے قیام کا مقصد یہ تھا کہ اسٹاک مارکیٹ یعنی شیئر بازار کے لئے مناسب قوانین کا نفاذ ہو اور اس کی نئے سرے سے تنظیم ہو سکے۔

اس زمانے میں بہت سے لوگوں نے سوچا کہ صدر روز ویلٹ نے اسٹاک مارکیٹ کی نگرانی کے لئے جوزف کینیڈی جیسے دولت مند شخص کو چن کر غلطی کی ہے۔ اخباروں نے کھلے بندوں صدر کے اس فیصلے کی مخالفت کی اور جو سینئر کے خلاف بہت کچھ لکھا گیا۔ وال اسٹریٹ کے تاجروں کو بھی یہ بات بالکل نہ بھائی۔ لیکن انہیں یہ اعتراف کرنا پڑا کہ لوگوں کو ایسے شیئر فروخت کرنے سے روکنے کے لئے جن کی بظاہر کوئی قیمت نہیں تھی، ان مضبوط اور سخت قوانین کی ضرورت تھی، جو شیئر بازار کو استحکام بخشتی۔ لیکن جو کینیڈی اس بازار کے نشیب و فراز سے خوب واقف تھا۔ وہ تو اس وقت بھی اس سے وابستہ تھا۔ جب یہاں کی حالت بہت ہی غیر یقینی تھی، اسٹاک مارکیٹ کے بارے میں ہر ضروری چیز اسے معلوم تھی۔

جوزف کینیڈی نے کئی حلقوں کی مخالفت کے باوجود بڑی کامیابی سے اپنی ذمہ داریاں پوری کیں۔ اس نے وال اسٹریٹ کے تمام مسائل کا اتنا ماہرانہ انداز میں حل تلاش کر لیا کہ چھ مہینے کے اندر اندر وہاں کے حالات بڑی حد تک سدھر گئے۔ اب پورے امریکہ میں اس کی قدر ہوئی اور لوگوں نے اس کے بارے میں اپنی رائے بدل دی۔ اب اخباروں میں مختلف رائے کا اظہار ہونے لگا۔ جب اس نے عہدہ سنبھالا تو اس وقت ہر مہینے بازار میں صرف دس لاکھ ڈالر ہی کے نئے حصوں کا اجراء ہوتا تھا۔ صرف سال سوا سال کے بعد ہر مہینے بازار میں تقریباً ساڑھے تیئس کروڑ ڈالر کی مالیت کے حصے جاری ہونے لگے۔ یہ حقیقت جو سینئر کے لئے بڑی اطمینان بخش تھی۔ جب بھی وہ رات کی خاموشی میں اپنی خدمات کے بارے میں غور کرتا تو اسے یوں محسوس ہوتا جیسے اس نے اپنا فرض صحیح طور پر ادا کر دیا ہو۔

اس کا جی اس کام سے جلد ہی بھر گیا اور اس نے عہدہ سنبھالنے کے چار سو اکتیسویں دن یہ فیصلہ کر لیا کہ اب اُسے کسی دوسرے میدان کا رُخ کرنا چاہیے۔ چند ہی مہینوں کے بعد صدر روز ویلٹ نے ایک اور سرکاری محکمہ میں اس کا تقرر کیا۔ یہ محکمہ ملک کی جہاز رانی سے متعلق تھا اور اس کا نام میری ٹائم کمیشن (Maritime Commission) تھا۔ اس بار بھی جوزف نے بڑی کامیابی سے خدمات انجام دیں۔ یہاں بھی وہ سُرخ رو ہوا۔

چنانچہ جب بھی نوعمر جیک کینیڈی جو، ان دنوں کنکٹی کٹ کے شوایٹ اسکول میں پڑھ رہا تھا، اخباروں کی ورق گردانی کرتا، اُسے تقریباً ہر روز اپنے محنتی باپ کی مصروفیتوں کی اطلاع ملتی۔ ان خبروں کی وجہ سے معاشیات اور سیاست دونوں مضامین میں جیک کو اور زیادہ دلچسپی پیدا ہوگئی۔

مستقبل قریب میں جوزف کینیڈی کو ایک اور اہم سرکاری عہدہ قبول کرنا اور ملک کی خدمت بجا لانی تھی۔ جب اس بڑے عہدے پر فائز ہونے کا وقت آیا تو جیک نے اس واقعہ کے بارے میں صرف خبر ہی نہیں پڑھی، بلکہ اُس نے اُس میں راست حصہ لیتے ہوئے اپنے مقتدر باپ کا ہاتھ بھی بٹایا۔

ہارورڈ

جیکؔ کے والد کی یہ خواہش تھی کہ جیک کالج میں داخلہ لینے سے پہلے لندن ہوئے اور وہاں کے مشہور ''اسکول آف اکنامکس'' میں تعلیم حاصل کرے۔ چنانچہ باپ کی خواہش کی تکمیل کے لئے اٹھارہ سالہ دراز قد، جیک کینیڈی، شوایٹ اسکول میں پنی پڑھائی پوری کر لینے کے بعد یورپ کے سفر پر روانہ ہوا۔ یہ اس کے لئے ایک نئی نیا کی طرف پہلا سفر تھا۔

پچھلی گرمیوں میں اس کے بڑے بھائی جوؔ، جونیئر نے بھی انگلستان میں تعلیم حاصل کی تھی۔ باپ ان اقدام کی اہمیت سے پوری طرح واقف تھا۔ وہ جانتا تھا کہ اس کے بچوں کا ایک دوسرے ترقی یافتہ ملک میں جا کر تعلیم حاصل کرنا اور وہاں، مختلف طبقوں کے سیاسی امور کے بارے میں علیحدہ علیحدہ رائے رکھنے والے، لوگوں سے ان کا ملنا جلنا ان کے لئے کتنا مفید ثابت ہوگا۔ بعد کو انہوں نے اپنے بیٹوں کو ایک اور بڑے اور قدیم ملک روس کی سیاحت پر بھیجا اور انہیں وہاں مختلف طرزِ حکومت کا قریب سے جائزہ لینے کا موقع دیا۔ روس میں کمیونسٹ یا اشتراکی نظام رائج ہے۔ یہ جیک کے لئے ایک مفید تجربہ ثابت ہوا کیونکہ اس مختلف نظام کے بارے میں اسے بڑی چھوٹی عمر میں بہت کچھ جاننے کا موقع ملا تھا۔

لندن پہنچنے کے بعد جیک نے اپنے آپ کو ایک اور ماحول میں پایا۔ یہاں

اسے ایک نئے اور بڑے وسیع گروپ سے واسطہ پڑا جس میں ایسے بہت سے نوجوان شامل تھے جو دنیا کے تقریباً تمام حصوں سے وہاں آئے تھے اور جن کا تعلق بہت سے شعبوں سے تھا۔

اس کے باوجود جیکؔ نے ان تجربات سے اس قدر نہیں سیکھا، جتنا اس کے بڑے بھائی جوؔ نے سیکھا تھا۔ اس کی وجہ اس کی علالت تھی۔ لندن پہنچنے کے تھوڑے ہی عرصے کے بعد وہ بیمار پڑ گیا اور بیماری کی وجہ سے اسے لندن اسکول آف اکنامکس کو خیر باد کہنا پڑا۔ وہ کئی مہینوں تک بستر علالت پر پڑا رہا حتیٰ کہ پرنسٹن کا تعلیمی سال شروع ہو گیا۔ اس کے بعد ہی وہ صحت یاب ہو سکا۔

آخر جب اس نے کالج میں داخلہ لے ہی لیا تو اس نے محسوس کیا کہ واقعی پرنسٹن بڑی ہی حسین جگہ تھی۔ اب کے بھی اُسے ان پرانے دو ساتھیوں کی رفاقت نصیب ہوئی جو کبھی اس کے ساتھ ایک ہی کمرے میں رہتے تھے۔ لیم بیلنگز اور رالف ہارٹن جونیئر اسے ہمیشہ عزیز رہے۔ ان کے ساتھ اس کا وقت بہت اچھی طرح گزرا۔ وہ اس کے ساتھ کھیلتے کودتے اور پڑھائی میں بھی اس کی مدد کرتے۔ جیکؔ نے دن رات محنت کی اور بڑی تیزی سے پچھلے سبق یاد کر لئے اور پڑھائی میں کلاس کے دوسرے طلباء کو جا لیا۔ پرنسٹن میں ایک بڑا مہنگا ہوسٹل بھی تھا۔ جس میں عموماً لکھ پتی امریکنوں کے بچے رہتے تھے۔ جیک چاہتا تو وہ بھی اس میں ایک کمرہ لے کر رہ سکتا تھا۔ لیکن اس نے یہ نہیں کیا اور بیلنگز اور ہارٹن کے ساتھ اُس ہوسٹل میں رہنا پسند کیا جو سستا تھا۔ اس کے دونوں دوست اپنی تعلیم پر زیادہ خرچ نہیں کر سکتے تھے۔ اپنے دوستوں کے ساتھ رہنے کا مطلب یہ تھا کہ جیک کو اپنی خوابگاہ تک پہنچنے کے لئے پچھتر سیڑھیاں چڑھنی اور اُترنی پڑتیں۔

صرف دو ہی مہینوں میں حالات بہتر ہو گئے۔ اس نے نہ صرف پچھلے سبق اچھی

طرح یاد کر لئے بلکہ نئے اسباق پر بھی اسے عبور حاصل ہو گیا۔ اس کی تعلیمی کیفیت تسلی بخش نظر آ رہی تھی کہ یکا یک قسمت نے ایک نیا گُل کھلایا۔ جیک ایک بار پھر بیمار پڑ گیا۔ اس بیماری کی وجہ سے اسے مجبوراً پرنسٹن چھوڑنا پڑا۔ اس نے سردیوں کا بیشتر حصہ، صحت یاب ہونے کی کوشش میں اریزونا کی گرم ریاست میں گزارا۔ اس بیماری نے اسے ایک بار پھر اپنے ساتھیوں سے پیچھے کر دیا۔ اب دوبارہ پرنسٹن جانے کے معنی یہ تھے کہ اسے ان سے سال بھر پیچھے رہ کر دوبارہ پڑھائی شروع کرنی پڑتی۔ اس کے بجائے اس نے ہارورڈ جانا پسند کیا۔ وہاں اس کے بھائی کی تعلیم اب تکمیل کے قریب تھی۔

چنانچہ 1936ء میں جیک، بوسٹن لوٹ آیا ___ وہ شہر جہاں وہ پیدا ہوا تھا۔ اب تو کینیڈی خاندان وہاں نہیں رہتا تھا۔ انہیں بوسٹن کی نواحی بستی بروکلن، میساچوسیٹس سے منتقل ہو کر برونکس ویل نیویارک آئے ہوئے دس سال ہو چکے تھے۔ اب وہ نیویارک شہر کے نواحی علاقے میں رہتے تھے۔

جب جیک کینیڈی نے ہارورڈ میں پڑھائی شروع کی تو اس کے سوچ بچار کا انداز ویسا ہی تھا، زندگی کے مقاصد، مستقبل کے بارے میں خواب، اس کی آرزوئیں اور تمنائیں بھی ویسی ہی تھیں جیسی کہ اس زمانے میں جب وہ شوٹ کے اسکول میں زیر تعلیم تھا۔

اب بھی کھیل ہی اس کی سب سے اہم دلچسپی تھے۔ چنانچہ اس نے زیادہ سے زیادہ کھیلوں میں شرکت کرنے کی کوشش کی۔ ایک دن وہ میدان میں فٹ بال کھیل رہا تھا کہ پہلی بار وہ ایک مشہور کھلاڑی کی توجہ کا مرکز بنا۔ وہ فٹ بال کا ایک مانا ہوا کھلاڑی تھا اور مستقبل میں جیک کو اس سے واسطہ پڑنے والا تھا۔ اس کھلاڑی کا نام ٹوربرٹ، ایچ میکڈونیلڈ (Torbert H. Macdonald) تھا۔ جسے عام طور پر

لوگ ٹورٹی کے نام سے یاد کرتے۔ اس نے ہارورڈ کے ایک اچھے کھلاڑی کی حیثیت سے بڑا نام کمایا۔

جیک، ہارورڈ میں ابھی پہلے ہی سال میں تھا اس کا جی چاہا کہ اسے پہلے سال کے طلباء کی فٹ بال ٹیم میں داخلہ مل جائے۔ وہ اس ٹیم میں شریک ہو کر کھیلوں کے مقابلوں میں حصہ لینا چاہتا تھا۔ لیکن اس کی اس خواہش کی تکمیل میں ابھی تک خاصی رکاوٹیں تھیں، اس لئے اس نے ایک دن موقع پر کر ٹوربی سے مدد کی درخواست کی۔ یہی ان کی دوستی کی ابتداء ثابت ہوئی۔ بعد کو ہارورڈ فٹ بال ٹیم کے ڈائرکٹر نے اعتراف کیا کہ اُس مبتدیوں کی ٹیم میں جیک واحد کھلاڑی تھا جسے کامیابی سے گیند کیچ کرنے کے گر آتے تھے۔ اس کے ہاتھوں سے کبھی گیند نیچے نہیں گرتی تھی۔ جیک تو اور بہت کچھ چاہتا تھا۔ لیکن اس کی خواہش کی تکمیل میں ابھی ایک بڑی رکاوٹ اور تھی۔ وہ تھی اس کا وزن۔ وزن بہت کم ہونے کی وجہ سے وہ پہلی لائن پر نہیں کھیل سکتا تھا۔

لیکن اس کمزوری نے پھر جیک کینیڈی کو مایوس نہیں کیا۔ کوئی دوسری اور آسان راہ اختیار کرنے کے بجائے وہ دوسری درجے کی فٹ بال ٹیم میں کھیلنے لگا۔ اس طرح ایک بار پھر اس نے واضح کر دیا کہ وہ مردِ میدان تھا اور کسی قسم کے مقابلے اور مزاحمتیں اس کی ہمت نہیں توڑ سکتی تھیں۔ لیکن اسی کھیل کود کے چکر میں وہ بُری طرح سے زخمی ہو گیا۔ اس کی پیٹھ پر چوٹ لگی۔ اس چوٹ نے آئندہ زندگی میں اس کی جان خطرہ میں ڈال دی اور ایک وقت ایسا بھی آیا جب لوگوں کو یوں لگا تھا جیسے وہ زندہ نہ بچ سکے گا۔ لیکن جیک کا عالم یہ تھا کہ اسے یقین تھا کہ اس کی زندگی خطرہ میں نہیں ہے۔ جس وقت چوٹ لگی تھی، وہ سرے سے یہ ماننے کے لئے تیار نہیں تھا کہ چوٹ شدید ہے۔ پوچھنے پر تو وہ اکثر ہنسی میں ٹال دیتا ___ یوں جیسے اس کی نظر میں اس کی مطلق اہمیت نہ ہو۔

فٹ بال کے بعد اس نے ہارورڈ کی پیراکی، کی ٹیم میں جگہ حاصل کرنے کی

کوشش کی۔ لیکن یہاں بھی اس کی خرابی صحت آڑے آئی۔ ایک بڑے مقابلے سے صرف ہفتہ بھر پہلے وہ ایک بار پھر بیمار پڑ گیا جس کی وجہ سے اسے ابتدائی گروپ میں بھی جگہ نہیں ملی۔

اس کے پیراکی کے ڈائرکٹر کا نام ہیرالڈ اُلن (Harold Ulen) تھا۔ اسے آج بھی وہ نوجوان یاد ہے۔ جس نے مرکزی ٹیم میں جگہ حاصل کرنے کی انتہائی شدت سے کوشش کی تھی۔ وہ کہتے ہیں، جیک بڑا اچھا لڑکا تھا لیکن وہ خاصا کمزور تھا۔ اس کے باوجود وہ ہر وقت اپنی تمام تر جسمانی صلاحیتوں کو کام میں لانے کے لئے تیار نظر آتا۔ اکیلے کھیلنے کی بہ نسبت وہ کسی ٹیم کا رکن بن کر زیادہ بہتر طور پر کھیل سکتا تھا۔ بعض اوقات یہ بھی ہوتا کہ پیرتے ہوئے یکایک اسے محسوس ہوتا کہ جیسے وہ تیزی سے نہیں پیر رہا ہے۔ اس احساس کے ساتھ ہی وہ اداس ہو جاتا۔ لیکن یہ اداسی بھی وقتی ہوتی کیونکہ وہ ان لوگوں میں سے تھا جنہیں اپنے جذبات اور احساسات پر قابو پانا آتا ہے اور جو ہر طرح کی کمزوریوں پر منٹوں میں قابو پا کر دوبارہ مقابلے کے لئے میدان میں لوٹ آنے کی بھرپور صلاحیتیں رکھتے ہیں۔

جیسے جیسے جو اور جیک کی عمروں میں اضافہ ہوا، لوگوں نے دونوں بھائیوں کے درمیان فرق کو زیادہ واضح طور پر محسوس کیا۔ جو کو اب غصہ بڑی تیزی سے آتا اور وہ غصہ میں مار پیٹ سے بھی دریغ نہ کرتا۔ ایک مرتبہ وہ اپنے کلاس کے ایک لڑکے سے صرف اس لئے اُلجھ پڑا تھا کہ اس نے جان ایم فٹز جیرالڈ کو برا بھلا کہا تھا۔ اُس بیچارے لڑکے کو یہ نہیں معلوم تھا کہ جس شخص کی اس نے انجانے پن میں بُرائی کی تھی وہ جو کا نانا تھا۔ غصہ تو جیک کو بھی جلدی آتا لیکن طبیعتاً وہ جو سے مختلف تھا اور عموماً پُرسکون رہتا۔ یہ وہ زمانہ تھا۔ جب وہ مسائل کو ان کے تمام پہلوؤں کی روشنی میں پرکھنا سیکھ رہا تھا۔ وہ ہر مسئلہ کا پہلے غور سے جائزہ لیتا، اس کا تفصیلی مطالعہ کرتا پھر بڑے احتیاط سے، ایک

سوچے سمجھے منصوبے کے تحت اس پر عمل کرتا۔

یہ صحیح ہے کہ دونوں بھائی ایک دوسرے سے اتنے مختلف تھے۔ پھر بھی جیک ایسی بہت سی باتیں کرتا جو اس سے پہلے اس کا بڑا بھائی کر چکا تھا۔ اس کا مطلب یہ نہیں تھا کہ وہ آنکھیں بند کر کے بھائی کی پیروی کرتا تھا۔ حقیقت صرف یہ تھی کہ دونوں کو ایک ہی قسم کی بہت سی چیزوں میں یکساں دلچسپی تھی۔ مثلاً سیاست دونوں کی گھٹی میں پڑی تھی۔ اس کے باوجود، جو کا مطمحِ نظر اتنا وسیع نہیں تھا جتنا کہ جیک کا تھا۔ اس کا سیاست کے بارے میں اندازِ فکر بھی جیک کی بہ نسبت محدود ہی تھا۔ جیک نے اپنی زندگی کی ابتداء ہی میں یہ سبق سیکھا تھا کہ ہر کہانی کے دو رُخ ہوتے ہیں اور حقیقت عموماً ان دونوں کے درمیان ہوتی ہے۔

ہارورڈ میں قیام کے پہلے دو برسوں کے دوران جیک کی تعلیمی حالت معمولی تھی۔ بس وہ اتنے نمبر حاصل کر لیتا کہ پاوس ہو ہی جاتا۔ لیکن اس کے باوجود وہ آہستہ آہستہ ترقی کر رہا تھا۔ امتحانوں میں اس کی کامیابی اور ترقی کی باقاعدہ رفتار نے اس کے استادوں پر یہ واضح کر دیا کہ وہ لائق تھا۔ ان میں سے ایک نے ایک خط میں لکھا تھا کہ بہت ممکن ہے کہ جیک کینیڈی امتحان کی تیاری اچھی طرح نہ کر سکے لیکن اس کے باوجود یہ کہتے ہوئے میں مطلق نہیں جھجکتا کہ اس میں بڑی صلاحیتیں ہیں۔ جب وہ محنت کرنے بیٹھتا ہے تو حیرت انگیز حد تک اپنی لیاقت کا ثبوت دیتا ہے۔ دوسرے لفظوں میں وہ واقعی اچھا لڑکا ہے۔

وہ بڑے عجیب دن تھے جب ہارورڈ میں مختلف رائے اور مختلف نظریات کے حامی بھرے ہوئے تھے۔ ان میں بہت سے ملک کے معاشی بحران کی وجہ سے اُبھرے تھے۔ چنانچہ سب کے سب صدر روزویلٹ کے نئے انقلابی منصوبوں سے کسی نہ کسی طرح متاثر تھے۔ یہ وہ اثرات تھے جو پورے ملک پر چھائے ہوئے تھے۔ ساتھ ساتھ

بیرونی دنیا میں بھی ہنگاموں کی ابتداء ہو چکی تھی اور جنگ کے بادل افق پر نظر آ رہے تھے۔ دور ہونے کے باوجود، ہارورڈ میں بھی اس کے اثرات محسوس کئے جانے لگے تھے اور یہاں کے طلباء کی نگاہیں جرمنی اور اس کے سربراہ پر لگی ہوئی تھیں۔ وہ بڑے غور سے اڈولف ہٹلر کے خطرناک منصوبوں کا جائزہ لے رہے تھے۔

اس زمانے کے ہارورڈ میں بہت سے چھوٹے چھوٹے کلب تھے۔ جن کے قیام میں طلباء کا بڑا ہاتھ تھا۔ یہ ادارے علیحدہ علیحدہ سیاسی عقائد کی بنیاد پر چلائے جا رہے تھے۔ اس طرح وہاں ہر قسم کے سیاسی عقائد پروان چڑھ رہے تھے۔ اکثر طلباء ٹرکوں پر چڑھ کر سڑکوں پر نکلا کرتے اور دنیا میں جو کچھ ہو رہا تھا اس کے خلاف احتجاج کرتے۔ یہ امریکی زندگی کا وہ دور تھا جب ملک کے نوجوان ماضی اور مستقبل کے درمیان ایک عجیب اُلجھن کا شکار تھے۔ کبھی ماضی اپنی شان دار روایتوں اور پچھلی فتوحات اور کامرانیوں کا حوالہ دے کر انہیں اپنی طرف کھینچتا اور کبھی مستقبل میں ایک شاندار 'کل' کے خواب دکھا کر انہیں اپنی آغوش میں لینے کی کوشش کرتا۔ اس کشاکش کا نتیجہ وہ لازمی چڑچڑاپن اور وہ جھنجلاہٹ تھی جس کا اس دور کا نوجوان طبقہ شکار تھا۔ وہ ہر چیز پر اعتراض کرتا۔ یہ نوجوان کبھی تو کہتے کہ ان کا ماضی بے حد خراب تھا، کبھی وہ یہ محسوس کرتے کہ ان کا حال، ماضی سے زیادہ خراب ہے۔ اب رہا مستقبل سو اس کے بارے میں وہ اکثر سوچتے ہوئے بھی کانپ جاتے تھے۔ کیونکہ حالات کو دیکھتے ہوئے ان کا خیال تھا کہ وہ بھی تباہ کن ہوگا۔ غرضیکہ نوجوان طبقہ ایک عجیب اُلجھن کا شکار تھا۔

واقعی یہ بات حیرت کی ہے کہ ایسے ماحول میں رہتے ہوئے بھی جیک کینیڈی کا طلباء کی نوزائیدہ تنظیموں میں سے کسی سے بھی کوئی تعلق نہ تھا۔ اس کے باوجود وہاں کی سیاسی اور ثقافتی زندگی سے وہ دور نہیں رہا۔ اس کی وجہ سے مشہور و معروف مورّخ، جیمس میگ گریگر برنس (Burns) کے الفاظ میں ___ ''ہارورڈ میں نوعمر جیک کینیڈی نے

جو کچھ نہیں کیا وہ اس سے زیادہ اہم ہے جو اس نے وہاں کیا۔''

ہارورڈ میں جیک کینیڈی کا انداز زندگی بالکل ویسا ہی رہا، جیسا عام طور پر اس کی عمر کے طلباء کا ہوتا ہے۔ کالج والوں کا ایک اہم اخبار شائع ہوا کرتا تھا جس کا نام ''ہارورڈ کرمسن'' (Harvard Crimson) تھا۔ جیک کو اس کے ادارۂ تحریر میں جگہ مل گئی۔ اسے اچھا خاصا اعزاز سمجھا جاتا تھا۔ اسی طرح اس نے وہاں کے سینٹ پالز کیتھولک کلب میں داخلہ لے لیا جس کا ملکی یا غیر ملکی سیاست سے تعلق نہیں تھا۔ وہاں ایک اور دلچسپ ادارہ تھا جس کا نام یار لوگوں نے ''ہیسٹی پڈنگ کلب'' رکھ چھوڑا تھا۔ نام کی مناسبت سے اس کا تعلق کھانے پینے کے کسی پہلو سے ہونا چاہئے تھا۔ لیکن حقیقت یہ نہیں تھی اس کے اراکین ایک ثقافتی گروپ سے تعلق رکھتے تھے اور ملک کا دورہ کر کے اوپیرا کی قسم کے ڈرامے اسٹیج کیا کرتے تھے جن میں موسیقی کو بڑا دخل تھا۔ اس کے کالج میں یہ کلب کچھ زیادہ بڑا نہیں تھا۔ اس کے باوجود اس میں داخلہ مشکل تھا۔ عموماً ہر لڑکا اس میں داخلہ کا متمنی نظر آتا۔ ایسے میں جیک کا اُس کی رکنیت کے لئے آسانی سے چنا جانا طلباء کی چھوٹی سی دنیا میں معمولی بات نہیں تھی۔ عموماً بہت تھوڑے سے رکن چنے جاتے اور وہ بھی کبھی کبھار۔

ٹوربی میکڈونیلڈ کا ذکر ہم کر ہی چکے ہیں۔ جیک اور ٹوربی ایک ہی کمرے میں رہتے تھے۔ وہ کہتا ہے کہ جیک بہ یک وقت ایسے کئی مختلف حلقوں کا رکن بننے میں کامیاب ہو گیا تھا جن کی دلچسپیاں اور اغراض و مقاصد ایک سے نہیں تھے۔ وہ اس حلقے میں بھی بڑا ہی مطمئن نظر آتا جسے صرف کھیل کود میں دلچسپی تھی اور اخبار ''کرمسن'' والے حلقے میں بھی جس کے ارکان کو مطالعہ اور کتابوں سے لگاؤ تھا اور خالص تعلیمی سرگرمیوں سے عشق۔ بغیر کسی چھوٹے سے حلقے کا پیوند بنے، وہ کئی مختلف قسم کی دلچسپیاں رکھنے والے گروہوں کا روحِ رواں بنا رہتا اور اس طرح کئی قسم کے مشغلوں

میں شریک رہتا۔

اپنی کلاس میں بھی وہ دوسرے تمام لڑکوں میں بڑا ہر دلعزیز تھا۔ اس نے کبھی اپنے ساتھیوں پر یہ رعب ڈالنے کی کوشش نہیں کی کہ وہ بڑا دولت مند تھا یا یہ کہ وہ ایک مشہور شخص کا بیٹا تھا۔ ٹورَبی، اسکول کے ایک مدرس کا بیٹا تھا۔ ان میں سے ایک رئیس تھا اور دوسرا غریب۔ اس کے باوجود اس کا ان کی دوستی پر کوئی اثر ہیں پڑا۔ اور ان کی مالی حالت نے کسی کو بھی کوئی خصوصیت نہیں بخشی۔ سچ پوچھئے تو اس قسم کی باتوں کو جیک نے کبھی اہمیت نہیں دی۔ دونوں کا رہن سہن کا انداز بھی ایک سا تھا۔ جس کمرے میں وہ رہتے تھے وہاں سے اگر ایک اچانک چلا جاتا تو دوسرے کو یوں لگتا جیسے ابھی ابھی یہاں سے طوفانی ہواؤں کا گزر ہوا ہے۔ کپڑوں کے معاملے میں دونوں کا رویہ ایک سا تھا۔ دونوں اس سیدھے سادے طریقہ پر کاربند تھے کہ صبح کو جن کپڑوں پر سب سے پہلے نظر پڑ جائے وہ پہن کر چل دو۔

ٹورَبی کو اب بھی دوستوں کی پُرانی باتیں سنا کر بڑی خوشی ہوتی ہے۔ وہ کہتا ہے۔ ''ایک دن باہر جانے کے ارادے سے جیک کپڑے بدل رہا تھا وہ پہنتے ہوئے کپڑے اتار اتار کر تیزی سے فرش پر پھینک رہا تھا۔ مجھ سے نہ رہا گیا اور میں نے کہا کہ میاں ذرا سوچ سمجھ کر کپڑے اِدھر اُدھر پھینکو کیونکہ جس بے فکری سے تم کپڑوں کے ڈھیر لگا رہے ہو اس سے تو یوں معلوم ہوگا جیسے یہ ہمارا کمرہ نہ ہو، پرانے کپڑوں کی دکان ہو۔''

اس پر جیک نے شرارت سے جواب دیا۔ ''تمہارا کیا خیال ہے؟ میں آخر کس کے کپڑوں پر اپنے کپڑے ڈال رہا ہوں؟ ___ ظاہر ہے تمہارے اور کس کے!'' اور پھر اس نے قہقہہ لگایا۔ ''اس واقعہ کی وجہ سے میری بڑی کھچی ہوئی اور ہم نے پھر کبھی اس موضوع پر گفتگو نہیں کی۔''

جب جیک اکیس سال کا ہو گیا تو اسے وہ دس لاکھ ڈالر ملے جو اس کے لئے

ٹرسٹ فنڈ میں علیحدہ رکھے گئے تھے۔ یہ ایک بڑا ہی اہم واقعہ تھا۔ اس کے باوجود ہارورڈ میں، سوائے بہت ہی قریبی دوستوں کے کسی کو اس بات کی خبر نہیں ہوئی۔

اس واقعہ کی روشنی میں ایک اور دلچسپ واقعہ سنئے۔ جس سے جیک کینیڈی کے کردار اور اس کی بہترین تربیت پر اچھی روشنی پڑتی ہے۔ اس زمانے میں جیک کی عمر تقریباً بیس سال تھی۔ ایک دن وہ اور ٹوربی، اپنی دو خواتین دوستوں کے ساتھ رات کے کھانے پر، ایک ہوٹل میں گئے، یہ ہوٹل خاصا مہنگا تھا۔ اس کی مہنگائی کا انہیں پورے طور پر اندازہ نہیں تھا۔ کھانے کے بعد جب بیرا بل لایا تو پتہ چلا کہ اس کی ادائیگی ان کے بس کی بات نہیں تھی۔ ظاہر ہے دونوں کے چھکّے چھوٹ گئے اور سارا لطف جاتا رہا۔ سب سے دلچسپ بات یہ تھی کہ جیک، جو پچاس لاکھ روپے کا مالک تھا، کی جیب بالکل خالی تھی اور ان کے ہمدم کی جیب میں صرف آٹھ ڈالر تھے۔ بل اس سے بھی کچھ زیادہ کا تھا۔ مجبوراً دونوں نوجوانوں کو اپنی ساتھی لڑکیوں سے پیسے لے کر بیرے کو دینا پڑے۔ اگر وہ یہ نہ کرتے تو بل ادا کرنے کے لئے دونوں کو ہوٹل ہی میں کئی دنوں تک جھوٹے برتن دھونے پڑتے۔

یُورپ پر جنگ کے بادل

جس زمانے میں جیک، ہارورڈ میں زیر تعلیم تھا، اس کے والد کا ستارہ سیاسی میدان میں عروج پر تھا۔ 1937ء کے آخری دنوں میں صدر روزویلٹ نے جوزف کینیڈی کو انگلستان میں سفیر مقرر کیا۔ یہ اُس زمانے کی سفارتی ملازمتوں میں بڑا مرغوب عہدہ تھا۔ ان سے پیشتر دو سابق امریکی صدر بھی اس عہدہ پر فائز رہ چکے تھے۔ ان کے نام جیمز منرو اور جان کوئنسی آڈمز تھے۔ اور اب تو یورپ پر جنگ کے بادل منڈلا رہے تھے۔ جس کی وجہ سے یہی عہدہ بڑا ہی اہم ہوگیا تھا۔

اس کے قبول کرنے کے معنی یہ تھے کہ پورے کینیڈی خاندان کو لندن منتقل ہونا پڑتا جس کی وجہ سے بہت سے مسائل ابھرتے۔ ساتوں چھوٹے بچوں کو ان کے امریکی اسکولوں سے نکال کر انگلستان میں نئے مدرسوں میں داخل کرنا پڑتا۔ مجبوراً یہی کیا گیا، لیکن جیک اور جو اپنے کالجوں میں پڑھتے رہے۔

لندن پہنچنے کے بعد روز کینیڈی نے اپنے سگھڑاپے سے سفارت خانے گھر اور دفتر سب ہی کو ایک کنبے کا روپ دے دیا۔ یہ تبدیلی کینیڈی خاندان کے لئے آسان تھی کیونکہ اس سے پہلے بھی وہ بوسٹن، واشنگٹن، نیویارک اور کئی دوسرے شہروں میں رہ چکے تھے۔ اس خاندان کی خصوصیت یہ تھی کہ وہ دنیا میں کہیں بھی چین، سکون اور اپنائیت سے رہنے کی صلاحیت رکھتا تھا۔ حالات اور مقامات کے سانچوں میں خود کو

ڈھالنا اسے خوب آتا تھا۔ ان لوگوں نے کئی بار بحرِ اوقیانوس عبور کر کے طویل سفر کئے اور فرانسیسی ریویئرا میں کینس (Cennes) کے مقام پر موسم گرما گزارنے کے لئے اپنے نئے گھر میں قیام کیا جو عالی شان تھا۔

ان تفصیلات سے ہمارا مقصد ہرگز یہ ظاہر کرنا نہیں کہ بچوں کو کسی قسم کے مسائل کا سامنا نہ کرنا پڑا۔ حقیقت یہ نہیں تھی۔ 1938ء کی گرمیوں میں جیک اور جو پہلی بار سفارت خانے میں اپنے والدین سے ملنے گئے۔ جیک کی عمر اس وقت اکیس سال تھی۔ وہاں کے نئے حالات اور ماحول سے، خصوصاً اُس اہم حلقہ سے جس میں اس کے والدین اٹھتے بیٹھتے تھے، وہ متاثر بھی ہوا اور مرعوب بھی۔

اس کی ایک چھوٹی بہن خاصے دنوں سے انگلستان میں تھی۔ اس کے ملنے جلنے والے بھی بہت سے تھے۔ ایک دن دونوں بڑے بھائیوں نے بہن سے بہت دیر تک تبادلہ خیال کیا۔ انہیں معلوم تھا کہ اس ملنے والوں میں ایک خوب صورت انگریز لڑکی تھی جس کی انیسویں سالگرہ جلد منائی جانے والی تھی۔ اس میں رسمی طور پر عزیزوں اور دوستوں سے اس کا تعارف ہونا تھا۔ سن بلوغ کو پہنچنے کے بعد جوان لڑکیاں اسی طرح سوسائٹی سے متعارف کرائی جاتی تھیں۔ یہ ایک قدیم رسم تھی۔ یہ لڑکی جیک اور جو دونوں کو پسند تھی۔ دونوں بھائیوں نے خوشامد کر کے بہن کی مدد سے اس تقریب کے لئے دعوت نامہ حاصل کر لیا۔ اُس دن رسمی تعارف کے سلسلے میں ایک محفلِ رقص کا بھی انتظام کیا گیا تھا۔

اس رات کو دونوں بھائی دعوت میں پہنچے۔ جیک نے ایک اور حسین لڑکی کو دیکھا جو شمع محفل بنی ہوئی تھی۔ جیک کا اس کے ساتھ ناچنے کو جی چاہا۔ اس وقت وہ لڑکی کسی اور کے ساتھ ناچ رہی تھی۔ امریکہ میں یہ رسم رائج تھی کہ ایسے موقعوں پر ناچ کی اجازت مانگی جا سکتی تھی۔ اس لئے جیک بغیر ہچکچائے اس کی طرف بڑھا تو ایک

نوجوان انگریز نے اس کا شانہ تھام کر اسے روکا۔

"ذرا ٹھہریئے جناب والا" اس نے کہا۔ "آپ ان کے ساتھ اسی وقت ناچ سکیں گے جب آپ کی باری آئے گی!"

بیچارہ جیک انگریزوں کی رسوم سے بالکل واقف نہیں تھا۔ ایسے موقعوں پر یہاں یہ ہوتا کہ نوجوانوں کو ایک ایک علیحدہ نمبر دیا جاتا اور اسی نمبر کے آنے پر ان کی باری آتی۔

اس رات جو اور جیک کی باری رات کے دو بجے کے قریب آئی۔ اس پر ستم ظریفی یہ ہوئی کہ ان کے حصے میں ناچ کے لئے دو نہایت معمولی شکل کی لڑکیاں آئیں۔ کئی سال کے بعد جیک نے ہنستے ہوئے اپنی مایوسی کی کہانی سنائی۔ اس رات دونوں بھائیوں کے ساتھ بڑی ستم ظریفی ہوگئی تھی۔ دونوں نے غالباً یہی سوچا ہوگا کہ بس بھئی یہاں لڑکیوں کے معاملے میں بھر پائے۔

1938ء ہی میں جیک دوبارہ ہارورڈ لوٹ گیا تاکہ اپنی تعلیم مکمل کر سکے۔ وہاں پہنچنے کے بعد ایک بار پھر زندگی اسی ڈھرے پر چلنے لگی۔ سردیوں بھر اس نے اخباروں میں یورپ سے آنے والی پریشان کن خبریں پڑھیں۔ جنگ کا خطرہ ہر لحہ بڑھتا جا رہا تھا اور دنیا دم سادھے بڑی طاقتوں کی طرف دیکھ رہی تھی۔ ایک دن جیک نے یہ خبر پڑھی کہ انگلستان کے وزیراعظم، نیویل چیمبرلین نے، چیکوسلوویکیا کا ایک حصہ جرمنوں کے حوالے کر دیا تھا تاکہ نازیوں کی ہوس قدرے کم ہو سکے۔ انہیں خوش فہمی تھی کہ اس طرح وہ جنگ کے خطرے کو ٹال سکیں گے۔ لیکن حالات صاف بتا رہے تھے کہ ہٹلر کی نیت نیک نہیں تھی۔ اس میں کوئی شک نہیں تھا کہ وہ یورپ کو، تمام یورپ کو ہڑپ کر جانے کے منصوبے بنا رہا تھا۔ دوراندیش امریکی تاجروں نے یورپ کو خیرباد کہہ کر وطن کی طرف روانگی شروع کر دی تھی۔ اس کوچ کے سیلاب کے یہ معنی تھے کہ

یورپ میں امریکی سفارت خانوں کے لئے کام بہت بڑھ گیا تھا۔

اسی دوران جیک کو اپنے باپ کے کئی ایسے خط ملے جنہیں پڑھنے کے بعد اُسے ان مسائل کا علم ہوا جن سے انگلستان میں امریکی سفارت خانے کے عملے کو واسطہ پڑا تھا۔ ان خطوط کی وجہ سے وہاں کے حالات میں اس کی دلچسپی بتدریج بڑھتی گئی۔ اس کا اب جی چاہنے لگا کہ وہ خود اپنی آنکھوں سے جنگ کے وہ سیاہ بادل دیکھے جو آہستہ آہستہ یورپ پر پھیل رہے تھے۔ آخر وہ تاریخ ہی کا تو طالب علم تھا اور حکومت اور سیاست، دونوں اس کے پسندیدہ موضوع تھے۔ عملی طور پر، ان مضامین کے مطالعے کا وقت آ گیا تھا اور قدرت نے اسے ایک بہترین موقع عطا کیا تھا۔ وہ آسانی سے لندن یا یورپ جا سکتا تھا اور وہاں جا کر حالات کا قریب سے جائزہ لے سکتا تھا۔ وہ اپنی آنکھوں سے دیکھ سکتا تھا کہ کس طرح جرمنی کا مہیب سایہ بہت سے چھوٹے اور کمزور ملکوں پر پھیل رہا تھا۔

اُس نے اپنے خیالات کا اظہار ان لوگوں سے بھی کیا جو ہارورڈ میں اس کے نگراں تھے۔ اس نے انہیں اس بات کے لئے راضی کر لیا کہ وہ اُسے یورپ جانے کی اجازت دے دیں تا کہ اپنے درسی سال کے بقیہ چھ مہینے وہ یورپ میں رہ کر وہاں کے سیاسی حالات کا عملی طور پر مطالعہ کر سکے۔ اسے اجازت مل گئی اور 1939ء کی ابتداء میں جب ہٹلر کی فوج چیکوسلاویکیا پر قبضہ کر رہی تھی، جیک کینیڈی نے اپنے والدین سے ملنے کے لئے بحرِ اوقیانوس پار کیا۔

یہ اس کی زندگی کا بڑا ہی دلچسپ دَور تھا۔ اس کی عمر 24 سال سے کم تھی، وہ خوش شکل تھا اور ہر قسم کے عملی کاموں میں کود پڑنے کے لئے بے چین تھا۔ اس کے متجسس ذہن کے سامنے ایک ایسی دنیا پھیلی ہوئی تھی جو تیزی سے پاگل پن اور خطرناک دیوانگی کی طرف بڑھ رہی تھی۔ اس جنون کو روکنے کی کوئی کوشش نہیں کر رہا تھا۔

یک لینیڈی جیسے ذہین، سیاست کے طالب علم کے لئے یہ ایک ایسا نادر موقع تھا جو ندگی میں ایک آدھ بار ہی مل سکتا تھا۔ جب وہ لندن میں اپنے باپ سے ملا تو اسے سوس ہوا کہ وہ یہاں نہ صرف یہ دیکھ سکے گا کہ مختلف قسم کے سیاسی حالات کیوں کر نما ہوتے ہیں بلکہ وہ ایسے واقعات کی رونمائی میں بھی اہم کردار ادا کر سکے گا، اپنے لد کی طرف دست تعاون بڑھا سکے گا اور اس طرح تاریخ کے اس اہم دور کا ایک عہ بن سکے گا۔

لندن میں جیک کی آمد پر باپ بیٹے دونوں کو بے حد خوشی ہوئی۔ عرصہ ہوا زف کینیڈی سینئر نے ایک بات کا فیصلہ کر لیا تھا۔ اس نے دل ہی دل میں عہد کیا تھا یہ اپنے فرائض کو اچھی طرح بجا لانے کے لئے وہ اُن تمام واقعات کے بارے میں مل تفصیلات واشنگٹن بھیجے گا جو یورپ میں رونما ہو رہے تھے۔ لیکن اس کے لئے سے اچھے اور ذہین مبصروں کی ضرورت تھی۔ اخباروں کی زبان میں ایسی ہوشیار اور ستعد ''آنکھوں'' کی ضرورت تھی جو سب کچھ دیکھ کر تمام تفصیلات فوراً امریکی سفارت خانے تک پہنچا دیں۔ عموماً یہ کام ایسے رپورٹر کیا کرتے تھے جو تیز آنکھیں اور کان رکھتے تھے اور ایک جگہ ٹِکے رہنے کے بجائے مسلسل سفر میں رہتے۔ جوزف کینیڈی کو یہ صفات اپنے بیٹے جیک میں نظر آئیں اور انہوں نے اس سے یہ کام لینے کا فیصلہ کر لیا۔ وقت نے ثابت کر دیا کہ جیک کے علاوہ جو بھی کامیاب سیاسی مبصر تھا۔ لیکن اس وقت قرعہ جیک ہی کے نام نکلا۔

یہ 1939ء کی بات ہے۔ جیک لندن پہنچ چکا تھا، اس کے والد نے اسے یہ بتایا کہ کیا کرتا ہوگا۔ چنانچہ اس کے بعد وہ بہار کے موسم میں پیرس گیا اور وہاں اس نے امریکی سفیر کا ہاتھ بٹایا۔ وہاں اس نے جو کام انجام دیئے ان میں بعض خاصے اہم تھے اور بعض یوں ہی معمولی سے تھے۔ اس کے بعد وہ موسم بہار ہی میں پولینڈ گیا اور پھر

گرمیوں میں روس، ترکی اور فلسطین گیا۔

اپنی اس سیاحت کے دوران میں جیک نے ان ملکوں میں جو کچھ دیکھا، جو کچھ محسوس کیا اور جن تجربات سے اسے واسطہ پڑا ___ سب کی تفصیلات وہ بڑی پابندی سے اپنے باپ کو بھیجتا رہا۔ اپنے ہر پڑاؤ سے یہ نوجوان مبصر، وقت نکال کر تفصیلی خط ضرور لکھتا اور باپ کو بتاتا کہ اس نے پچھلے پڑاؤ میں کیا کچھ دیکھا اور سنا تھا۔ ان رپورٹوں میں عموماً وہ اپنی بساط کے مطابق مسائل کا ہر پہلو سے بڑا سلجھا ہوا جائزہ لیتا۔ ان میں جذباتیت سے زیادہ محققانہ نقطۂ نظر کو دخل ہوتا۔ جوزف کینیڈی کا کہنا ہے کہ یہ تفصیلی تبصرے اس کے بہت کام آئے۔

اب جیک حالات کا مکمل جائزہ لینے کے لئے اتنا ہی تیار تھا جتنا کہ کسی اخبار کا مبصر۔ عموماً وہ حکومت سے اختلاف رکھنے والے حلقوں سے بھی ضرور تبادلۂ خیال کرتا تاکہ کہانی کے دونوں رُخ اس کے سامنے آجائیں۔ جب وہ وارسا میں تھا تو اس نے پولینڈ کے دارالحکومت میں مقیم اخبار نویسوں، سفیروں اور ہر طبقے سے تعلق رکھنے والے مقامی باشندوں سے گفت وشنید کی۔ وہ اس طرح اُس تنازعہ اور اس کشمکش کے بارے میں بہت کچھ جاننا چاہتا تھا جس نے پولش قوم کو پریشان کر رکھا تھا۔ وہ اُن تمام مسائل کی تہہ تک پہنچنا چاہتا تھا جو اُن دنوں پولینڈ اور جرمنی کے درمیان پڑوس کی چھوٹی سی ریاست ڈانزگ کے سوال پر خطرناک صورت اختیار کر رہے تھے۔ اس موضوع پر باپ کے نام تفصیلی خط لکھتے ہوئے اس نے کہا:

''مجھے جس بات کا بڑی شدت سے احساس ہوا ہے وہ یہ ہے کہ صحیح یا غلط، پولینڈ ڈانزگ کے سوال پر جنگ سے بھی دریغ نہیں کرے گا۔'' صرف چند ہی مہینوں کے بعد واقعات نے ثابت کر دیا کہ جیک کینیڈی کا تجزیہ صحیح تھا۔

روس پہنچنے کے بعد جیک پہلی بار کمیونزم سے متعارف ہوا۔ وہاں اس نے

اشتراکی نظام زندگی کی پہلی جھلک دیکھی۔ یہ اس زمانے کی بات ہے جب رُوسی صنعت نے ترقی کی راہ میں پہلا قدم بھی نہیں اٹھایا تھا۔ جیک کو بعد میں یاد آیا کہ اس نے وہاں اس زمانے میں کسی بھی صنعتی انقلاب کے آثار نہیں دیکھے تھے۔

جیک کرائمیا کی سیر کو بھی گیا۔ یہ ایک جزیرہ نما ہے۔ اس کے بعد وہ جہاز پر استنبول گیا۔ پھر وہ بیت المقدس بھی گیا۔ ان ملکوں میں اس نے مقامی سیاست کا بغور جائزہ لیا۔ اس مطالعے نے اس کے ذہن پر ایسے گہرے نقوش چھوڑے جو دیرپا ثابت ہوئے۔ اسے احساس تھا کہ ان مسائل کا تعلق لاکھوں کروڑوں انسان کی زندگی سے ہے۔ اسے یہ بھی معلوم تھا کہ ان حالات میں وہی شخص اِن مسائل کے حل کرنے میں مفید ثابت ہوسکتا ہے جو واضح مطمح نظر اور اندازِ فکر رکھتا ہو۔

ظاہر ہے جیک کو اب اس کا بھی احساس ہو گیا تھا کہ حکومتوں کا قریب سے مطالعہ کرنا اور حالات کا تجزیہ کرنا کس قدر دلچسپ کام ہے۔ اس سلسلے میں لوویلا ہینیسے (Louella Henessey) کو ایک دلچسپ واقعہ یاد ہے۔ جو مندرجہ بالا حقیقت پر روشنی ڈالتا ہے۔ یہ وہ خاتون ہیں جنہوں نے عموماً کینیڈی خاندان کے افراد کی اس وقت دیکھ بھال اور تیمارداری کی جب وہ بیمار پڑے۔ وہ بہت دنوں تک ان لوگوں کے قریب رہیں۔

مس ہینیسے کہتی ہیں کہ گرمیوں کے دن تھے۔ ایک مرتبہ جیک سفر میں تھا۔ وہ سفر کے دوران میں جب فرانسیسی ریویرا پہنچا تو کینس کے مقام پر اپنی خاندانی کوٹھی میں ٹھہر گیا۔ ایک شام طوفان نے انہیں آن گھیرا۔ اس وقت گھر کے بچے آتش دان کے پاس جمع ہو گئے۔ وقت تھا کہ گزرنے کا نام ہی نہ لیتا تھا۔ اس لئے جیک نے اپنے چھوٹے بھائی اور بہنوں کو کہانیاں سنانی شروع کر دیں تا کہ طوفان کی وجہ سے ان میں جو گھبراہٹ پیدا ہوگئی تھی، اسے وہ اس کی دلچسپ کہانیوں میں بھلا دیں اور اس طرح

وقت بھی اچھی طرح کٹ جائے۔

جیک کی کہانیاں اُن کہانیوں سے بالکل مختلف تھیں جو بڑے بھائی عموماً اپنے چھوٹے بھائی بہنوں کو سنایا کرتے ہیں۔ جیک نے بڑی بڑی قوموں کے عروج و زوال اور دنیا کے چند اہم لیڈروں کی داستانیں سنائیں۔ اس نے اپنی کہانی کی ابتدا ہینی بال سے کی۔ پھر اس نے سیزر، شارلیمین اور نپولین کے بارے میں انہیں بہت کچھ بتایا اور آخر میں وہ ماضی کے دھندلکوں سے نکل کر حال میں داخل ہوا اور اپنے ہی زمانے کے بہت سے واقعات سنائے۔ اس کا انداز بیان کچھ اس قدر دلچسپ تھا کہ تمام بچے گردوپیش کے ماحول کو بھلا کر انہماک سے اس کی باتیں سنتے رہے۔

جیک نے بڑے سلجھے ہوئے انداز میں انہیں بتایا کہ ماضی کی بہت سی بڑی شخصیتوں نے آمریت کی بنیاد پر حکومت کی تھی۔ صرف ایک شخص پوری قوم پر حکومت کرتا اور یہ بتاتا کہ انہیں کیا کرنا چاہئے اور کیا نہیں کرنا چاہئے۔ یکے بعد دیگرے ان قوموں کو زوال آیا۔ اب حالات بدل گئے تھے۔ جیک نے کہا۔ ''ہمارے یہاں یہ بات نہیں ہے۔ اب امریکہ دنیا کا سب سے طاقتور ملک بن جائے گا۔ کیونکہ اس کے عوام آزاد ہیں۔'' پھر اس نے انہیں یہ بتایا کہ ان کے سامنے آج بڑا مسئلہ یہ تھا کہ کس طرح امریکہ کی قوت کو قائم اور اس کے باشندوں کو آزاد رکھا جائے۔ یہ امریکہ کے مستقبل کا مسئلہ تھا۔

اس زمانے میں ٹیڈی کی عمر صرف چھ سال تھی۔ وہ بھی بڑی دلچسپی اور انہماک سے بڑے بھائی کی باتیں سنتا رہا کیونکہ یہ کہانی ایک ایسے نوجوان نے سنائی تھی جسے ایک دن ان مسائل کا حل تلاش کرنے کی ذمہ داری قبول کرلی تھی جن کی اہمیت کو وہ اب سمجھنے لگا تھا۔

ان دنوں نوعمر جیک کے لئے تفریح کے بھی بہت سے مواقع آئے۔ اس سے

پہلے ہم جیک کے عزیز دوست ٹورؔبی میکڈونیلڈ سے تعارف کرا ہی چکے ہیں۔ جب گرمیوں کی چھٹیوں میں اس کی یونیورسٹی بند ہوگئی تو ٹورؔبی یورپ آیا۔ دونوں دوستوں نے ایک دعوت میں شرکت کے لئے کار میں پیرس سے ریویٔیرا تک جانے کا فیصلہ کیا۔ دونوں ایک ٹوٹی پھوٹی کھٹارا قسم کی کار میں اس سفر پر روانہ ہوئے۔

جس حد تک ممکن ہوسکتا تھا، جیک تیزی سے گاڑی چلا رہا تھا۔ یکا یک اسے محسوس ہوا جیسے اسٹیئرنگ وہیل آپ ہی آپ دائیں طرف مُڑ گئی ہے۔ اس کے ساتھ ہی گاڑی پلک جھپکتے سڑک کے کنارے پہنچ گئی۔ پَل بھر کے لئے وہ لٹکی رہی اور پھر نیچے کھڈ میں لڑھک گئی، اور نیچے ہی نیچے تقریباً تیس فٹ تک لڑھکتی چلی گئی۔ آخر وہ ایک جگہ اس طرح رُکی کہ اس کی چھت نیچے تھی اور پہیئے اوپر۔

ٹورؔبی کہتا ہے۔ ''ہم اُلٹی ہوئی کار کے اندر سر کے بل کھڑے تھے کہ یکا یک مجھے جیک کی آواز سنائی۔ اس نے بڑے ہی پُرسکون لہجے میں کہا۔ ''آخر ہم دعوت میں نہیں پہنچ سکے، نہیں پہنچ سکے نا؟'' یہ کہتے ہوئے اس نے آہستہ سے دبا دبا سا قہقہہ لگایا۔ زندگی کے نشیب وفراز سے پریشان ہوجانا اسے آتا ہی نہیں تھا۔

ایسے ہی تفریحی لمحات سے انہیں بیسیوں بار پالا پڑا۔ سیاحت کے دوران میں ایسے بہت سے واقعات ہوئے۔ جنہوں نے واضح کردیا کہ یورپ بہت بیمار تھا اور جنگ کا دیوتا اسے کسی وقت بھی ہڑپ کرسکتا تھا۔

ایک ایسا ہی واقعہ ان کے ساتھ میونخ، جرمنی میں پیش آیا۔ اس سفر میں جیک کے ساتھ ٹوربی اور فٹ بال کا مشہور کھلاڑی بائرن وہائٹ بھی تھا۔ میونخ میں ہٹلر کے ایک مشہور ساتھی، ہورسٹ ویزل (Horst Vessell) کی قبر ہے۔ یہ تینوں امریکی نوجوان اس کی قبر دیکھنے کے ارادے سے گئے۔ وہ کار میں برلن سے میونخ پہنچے اور اپنی گاڑی قبر سے قریب ہی کھڑی کی اور اس آگ کو دیکھنے لگے جو ہر وقت ویزل کے

سرہانے روشن کی گئی تھی۔ ہٹلر نے بہ بانگ دہل اعلان کیا تھا کہ یہ آگ ہمیشہ یوں ہی روشن رہے گی۔ یہ تینوں امریکی نوجوان ابھی قبر کے قریب ہی پہنچے تھے کہ جرمن نوجوانوں کی ایک ٹولی وہاں آ گئی اور اس نے اندھا دھند ان کی کار پر پتھراؤ شروع کر دیا۔ ان کی اس حرکت سے جھنجھلا کر کسی بھی شخص کے لئے مشتعل ہو جانا، ناممکن بات نہیں تھی۔ ٹوربی اور وہائٹ تو مرنے مارنے پر تیار ہو گئے، لیکن جیک نے انہیں روکا۔ غصہ سے اس کا بھی بُرا حال تھا لیکن اس کی سوجھ بوجھ اور دور اندیشی آڑے آئی اور اس نے اپنے دوستوں کو قابو میں رکھا اور فوراً مشورہ دیا کہ یہاں سے نکل چلو۔

واپسی میں کار چلاتے ہوئے اس نے بڑے پُرسکون لہجے میں اپنے دوستوں کو بتایا کہ اس نے انہیں مار پیٹ سے کیوں باز رکھا تھا۔ اس سلسلے میں اس نے بڑی معقول دلیلیں پیش کیں۔ جرمنوں نے دراصل انہیں انگریز طلباء سمجھا تھا کیونکہ ان کی کار برطانوی ساخت کی تھی۔ ایک امریکی سفیر کے لڑکے کی حیثیت سے اس کے لئے یہ کسی صورت بھی مناسب نہیں تھا کہ وہ جرمنی میں کھلے بندوں سڑک پر دنگے فساد میں شریک ہو جائے۔

اس دن جیک بے حد اُداس تھا۔ اس نے بڑی آزردگی سے اپنے دوستوں کو بتایا کہ آج میونخ میں ان کے ساتھ جو کچھ ہوا تھا وہ اس بات کا ثبوت تھا کہ ہٹلر کے جنگی نعروں نے جرمنی کے نوجوانوں کو بھی اپنی لپیٹ میں لے لیا ہے، وہ بھی اپنے فیوہرر کی طرح ایک خطرناک جنون کا شکار ہو گئے ہیں اور اب امن پسند دنیا کو جنگ کی بھٹی میں جھونک دینے کے لئے تیار ہیں۔

دوسری جنگ عظیم سے صرف ایک ہفتہ پہلے جیک، مصر کی سیاحت سے برلن واپس پہنچا۔ وہاں اس نے امریکی سفارت خانے میں قیام کیا۔ اس رات سفارت خانے میں اندھیرا تھا۔ کیونکہ بجلی خراب ہو گئی تھی یا خراب کر دی گئی تھی۔ شہر میں

مواصلات کا عالم یہ تھا کہ کوئی بھی باہر ٹیلیفون نہ کر سکتا تھا۔ رات کا وقت تھا۔ بجلی کے نہ ہونے کی وجہ سے سارا ماحول بے حد پُر اسرار اور خاصا پریشان کن ہو گیا تھا۔ ایسے میں یکا یک ایک امریکی افسر، ایلکس کرک نوجوان کینیڈی کو علیحدہ کمرے میں لے گیا اور وہاں تنہائی میں کہا۔

جان ___ تمہیں فوراً یہاں سے چلے جانا چاہئے ___ سیدھے انگلستان جاؤ اور اپنے والد سے کہنا کہ یہاں جنگ کا قرعہ نکل چکا ہے۔ تاریخ تک مقرر ہو گئی ہے ___ جرمن 27-اگست کے بعد تین دنوں کے اندر اندر حملہ کر دیں گے کیونکہ اسی دن ٹینن برگ (Tennenberg) کی جنگ لڑی گئی تھی اور جرمن اس کی یاد تازہ کرنا چاہتے ہیں۔ ___ پھر کرک نے کہا۔ ''اب وقت کم رہ گیا ہے جان۔ ___ اس سے پہلے کہ ان لوگوں کو پتہ چل جائے کہ تم کون ہو، فوراً جرمنی سے باہر نکل جاؤ۔''

جیک کی سمجھ میں کرک کی باتیں آ گئیں اور اس نے اسی رات جرمنی کو خدا حافظ کہا، اور عین وقت پر، اپنے باپ کو تمام تفصیلات سے آگاہ کرنے کے لئے وہ لندن پہنچ گیا۔ اسے بھی یقین ہو گیا تھا کہ جو کچھ کرک نے کہا تھا وہ ٹھیک ہی ہے اور جرمن حکمراں اب جنگ کا اعلان کرنے کے لئے بالکل تیار ہیں۔ دوسرے لفظوں میں دنیا جنگ کے آتش فشاں پہاڑ کے دہانے پر کھڑی تھی اور کسی لمحے بھی یہ آتش فشاں پھٹ سکتا تھا۔

پہلی ستمبر 1939ء کو جرمن فوج بلائے ناگہانی کی طرح پولینڈ میں جا گھسی۔ یہ ٹینن برگ کی لڑائی کی برسی کے پانچویں دن ہوا۔ پولینڈ پر جرمنوں کے حملے کے چوبیس گھنٹوں کے اندر اندر جیک کینیڈی کو قسمت نے جنگ میں شریک کر دیا۔ ایک رات تقریباً تین بجے وہ بے خبر سو رہا تھا کہ سفیر کینیڈی کی موسم گرما کی کوٹھی سے اس کے نام بلاوا آ گیا۔ وہ گھبرا کر وہاں پہنچا تو خبر ملی کہ ایک برطانوی مسافر بردار جہاز، ایتھینیا (Athenia) پر بحر اوقیانوس میں حملہ ہوا جس کی وجہ سے جہاز ڈوب گیا۔ اس

میں مسافروں کی تعداد 1418 تھی جس میں سے تین سو امریکی باشندے تھے۔ یہاں اس بات کی وضاحت ضروری ہے کہ اس وقت تک امریکہ جنگ میں شریک نہیں ہوا تھا۔ جوزف کینیڈی نے سردرات کے پچھلے پہر بیٹے کو بلوایا اور اسے فوراً اسکاٹ لینڈ میں گلاسگو کے مقام پر بھیج دیا تاکہ اگر کوئی خوش قسمت امریکی مسافر صحیح وسلامت ساحل تک پہنچ جائے تو اس کی ہر ممکن مدد اور مناسب دیکھ بھال کا انتظام کیا جائے۔ اس سے زیادہ اہم بات یہ تھی کہ امریکی سفیر یہ جاننا چاہتے تھے کہ جہاز پر حملہ ہوا کیسے تھا اور بیچ سمندر میں یہ خونی کھیل کن حالات میں کھیلا گیا تھا۔ اس اہم کام کے لئے انہوں نے اپنے بیٹے ہی کو موزوں سمجھا۔

جیک گلاسگو پہنچ تو گیا لیکن وہاں اسے کئی مسائل سے دوچار ہونا پڑا۔ بہت سے امریکی مسافر بچا لئے گئے تھے۔ وہ وطن لوٹ جانا چاہتے تھے اور بضد تھے کہ انہیں جنگی جہازوں کی حفاظت میں امریکہ بھیجا جائے۔ ان میں سے اکثر نے کھلے سمندر میں بارہ گھنٹے سے زیادہ موت کا مقابلہ کیا تھا اور وہ نوجوان جیک کینیڈی کوئی بات بھی سننے کے لئے تیار نہیں تھے۔ جیک نے انہیں سمجھانے کی کوشش کی کہ یہ ممکن نہیں ہے۔ انہیں جنگی جہازوں کے بغیر ہی امریکی مسافر بردار جہاز یا جہازوں میں سفر کرنا ہوگا۔ ان جہازوں پر صاف طور پر لکھا ہوگا کہ یہ امریکی جہاز ہیں اور ان پر امریکی جھنڈا لہرا رہا ہوگا۔ اس نے مسافروں کو سمجھایا کہ ابھی تک امریکہ جنگ میں شریک نہیں ہوا تھا یعنی وہ غیر جانب دار تھا اور فی الحال جنگ میں الجھنا نہیں چاہتا تھا۔ اگر مسافروں کو وطن بھجوانے کے لئے جنگی جہازوں کی مدد لی جاتی تو جرمن بجا طور پر بگڑتے کہ امریکہ اپنی غیر جانبدار پالیسی کی خلاف ورزی کر رہا ہے اور یوں خاصے پیچیدہ مسائل پیدا ہو سکتے تھے۔

اس کی باتیں سن کر ایک صاحب تو اس قدر بپھرے کہ انہوں نے چیخ کر کہا۔
''کیا بکواس ہے یہ؟ امریکہ کے پاس لاکھوں کروڑوں ڈالر کی مالیت کے جنگی جہاز

موجود ہیں.........ہمارا ملک اپنے شہریوں کی حفاظت کے لئے یہ بھی نہیں کرسکتا۔''
مسافروں میں ایک لڑکی بھی تھی۔ وہ چیخ پڑی اور جیک کو ڈانٹتے ہوئے صاف طور پر کہہ دیا کہ اگر اس نے امریکی جہازوں کی مدد حاصل کرنے کی فوراً کوشش نہیں کی تو ان میں سے کوئی بھی یہاں سے ٹس سے مس نہ ہوگا۔ سب دھرنا مار کر بیٹھے رہیں گے اور اس کا جینا حرام کردیں گے۔

اس ہنگامہ خیز ماحول میں کسی نہ کسی طرح جیک نے یہ جاننے کی کوشش کی کہ بیچ سمندر میں کیا ہوا تھا، اور کس طرح جرمن آبدوزوں نے ایک غیر فوجی جہاز پر حملہ کر کے اسے بڑی بے دردی سے ڈبو دیا تھا۔ اس بزدلانہ حملے سے کتنے ہی مسافر سمندر میں ڈوب گئے تھے۔ مختلف مسافروں کے بیانوں کو جمع کر کے جیک نے یہ روئداد مرتب کی۔

جب وہ اپنے باپ کو تفصیلی رپورٹ دینے دوبارہ لندن کی طرف روانہ ہوا تو راستے بھر ریل گاڑی میں اس کے ذہن میں ایک ہی خیال تھا جس نے اسے بے چین رکھا___ جرمنوں نے حملہ کر کے غیر جانبدار امریکی باشندوں کو موت کے گھاٹ اتار دیا تھا۔ ابھی تو ابتداء تھی اور یہ حملہ پہلا وار تھا___ کیا یہ آخری وار بھی تھا؟ اس کے ذہن نے اس بات کو ماننے سے انکار کردیا اور اس کے دل نے کہا کہ زیادہ امکانات اس بات کے ہیں کہ یہ آخری حملہ نہیں ہے کیوں کہ وہ اپنے سفر کے دوران جرمنوں کے تیور دیکھ چکا تھا۔ ان پر نسلی برتری اور جنگ کا بھوت سوار۔

تھوڑے عرصہ کے بعد، جیک کینیڈی ایک سمندری جہاز پر امریکہ لوٹ گیا تا کہ اپنی تعلیم مکمل کرسکے۔ اس سے بے خبر کہ حالات بڑی تیزی سے بگڑ رہے تھے اور جلد ہی امریکہ کو بھی جنگ میں کود پڑنا تھا۔

آخر انگلینڈ سو کیوں رہا تھا؟

پولینڈ پر جرمن حملے کے چند ہفتوں کے بعد جیک کینیڈی اپنا آخری تعلیمی سال مکمل کرنے کے لئے ہارورڈ لوٹ گیا۔ اس وقت ساری دنیا کی نگاہیں، جنگ کے آہنی پنجے میں گرفتار زخمی یورپ پر تھیں۔ اپنے باپ کی مدد کے لئے جیک نے یورپ کے اہم شہروں کا جو سفر کیا تھا، اس سفر نے اسے غور و فکر کا نیا انداز دیا تھا۔ اس نے امریکہ پہنچنے کے بعد اپنے والد کو لکھا___ میں نے یہ محسوس کیا ہے کہ ہارورڈ میں مجھے بڑی شہرت حاصل ہوگئی ہے۔ اس کی وجہ یہ ہے کہ یورپ کے حالات کے بارے میں میرے اندازے اور پیشین گوئیاں صحیح ثابت ہوتی ہیں۔

جیک نے اپنے بارے میں صرف یہی نہیں دریافت کیا تھا بلکہ اس نے یورپ میں جو تجربے حاصل کئے تھے ان کی وجہ سے مختلف ملکوں کے سیاسی تعلقات کے باب میں اس کے مطالعہ میں گہرائی آ گئی تھی۔ اس نے حکومت اور معاشیات کے متعلق اور کئی کورس لینے کا فیصلہ کرلیا۔ چنانچہ اس سلسلے میں اس نے اپنے اخبار ''کرمسن'' کے لئے مضامین لکھنے شروع کر دیئے۔ چونکہ ان موضوعات میں اس کی دلچسپی آپ ہی آپ بڑھ گئی تھی اس لئے وہ امتحانوں میں بھی بہتر نمبر حاصل کرنے لگا۔ سب سے اہم بات یہ ہوئی کہ ایک بار پھر اسے محسوس ہوا کہ آپ کے بہت زیادہ شدت سے ذہن کو قوت بخشنا اتنا ہی دلچسپ ہو سکتا ہے جتنا کہ جسم کو قوت عطا کرنا۔ کسی بھی مسئلہ کا حل

تلاش کرتے ہوئے جب بھی وہ اپنا ذہن استعمال کرتا اسے بڑی خوشی ہوتی اور آپ ہی آپ ایک عجیب طرح کا سکون ملتا۔ اپنی زندگی میں پہلی بار جیک کینیڈی پڑھائی میں نمایاں کامیابی حاصل کرنے لگا۔ اب وہ درسی کتابوں کی گہرائیوں میں ڈوب کر ان مضامین سے مستفید ہوا جن کے مطالعے نے پچھلے چند مہینوں میں اس کے لئے غور وفکر کے نئے دروازے کھول دیئے تھے۔

امتحانوں میں زیادہ حاصل کئے جانے والے نمبروں کی وجہ سے اس کے لئے سیاسیات میں کالج کا اعزاز حاصل کرنا ممکن ہوگیا۔ اس کے لئے ضروری تھا کہ وہ ایک طویل مقالہ لکھے۔ اس نے اپنے لئے جنگ ہی کے بارے میں موضوع چُنا۔ چنانچہ اس نے میونخ کے اس تاریخی واقعہ کو مرکز خیال بنایا جب برطانوی وزیر اعظم نے ہٹلر سے مل کر یورپ کو جنگ سے بچانے کی اور جرمن فیوہرر کی ہوس کی تسکین کی کوشش کی تھی۔ یہ مقالہ دراصل ان حالات کا جائزہ تھا، جن کی وجہ سے آخر کار برطانیہ اور تمام یورپ جنگ کے شعلوں کی لپیٹ میں آ گیا۔

وہ کئی بار یورپ جا چکا تھا۔ ان سفروں میں اس نے بار بار یہ دیکھا تھا کہ وہاں کے بہت سے لوگ برطانوی وزیر اعظم چیمبرلینؔ کے خلاف تھے۔ یہ چیمبرلین ہی تھے جنہوں نے 1938ء میں ہٹلر سے ملاقات کی تھی اور اسے چیکوسلو یکیا بطور تحفہ پیش کر دیا تھا۔ یہ ان کی کمزور پالیسی کا نتیجہ تھا۔ اس طرح انہوں نے جرمنوں کو اور زیادہ طاقت عطا کی تھی، اب یہ واضح تھا کہ یہ قوت بہت جلد خود برطانیہ کے خلاف استعمال ہونے والی تھی۔

جیکؔ نے کئی مہینوں تک اس مسئلے پر غور کیا اور پھر اس پر قلم اٹھایا۔ شروع میں اس کے مضمون کو ویسا ہی مضمون سمجھا گیا جیسا کالج کے طلباء عموماً لکھتے ہیں۔ اس میں بھی حسین الفاظ استعمال کئے گئے تھے۔ اندازِ بیان بھی تصنع سے پُر تھا اور خیالات کا معیار

بھی پہلی نظر میں یوں ہی سا معلوم ہوتا تھا۔ لیکن اگر اس میں چند کمزوریاں تھیں تو اس کے ساتھ ہی اس کی سب سے اہم خوبی یہ تھی کہ جیک نے یورپ میں جو کچھ ہو رہا تھا۔ اس کے بارے میں نہ تو اپنا کوئی نظریہ پیش کیا تھا اور نہ ان واقعات کی وضاحت کی تھی۔ اس نے صرف مسائل کے تمام پہلوؤں کا جائزہ لیا تھا، بالکل اسی طرح جس طرح ایک ڈاکٹر مریض کا معائنہ کرتا ہے۔ ایک ڈاکٹر ہی کی طرح جیک نے بھی یہ جاننے کی کوشش کی تھی کہ یورپ کو کون سا مرض لاحق تھا اور اس کا سبب کیا تھا۔

اس نے اپنے مضمون میں یہ بتایا کہ وہاں خرابی کیا تھی۔ اس نے لکھا کہ انگریزوں نے اپنے عمل سے یہ ظاہر کر دیا تھا کہ ان کی بلا سے جرمنی اپنی طاقت بڑھائے یا گھٹائے وہ اپنے خول میں مگن تھے۔ دوسرے لفظوں میں انہوں نے یہ ظاہر کر دیا تھا کہ انہیں اس سے کوئی سروکار نہیں تھا کہ جرمنی اپنی فوجی طاقت کتنی تیزی سے بڑھا رہا تھا۔ جیک نے اپنے مقالے میں اُن سیاسی حلقوں کا ذکر کیا جو ہر قیمت پر امن کے حامی تھے۔ صنعتی میدان کے خود غرض لوگوں اور اُن گروہوں کا بھی ذکر کیا جو اپنی پارٹی کو اپنے ملک سے زیادہ اہمیت دیتے تھے۔ دراصل یہی وہ لوگ تھے۔ جنہوں نے برطانیہ کو حقائق سے دور رکھا تھا اور اسے یہ نہیں دیکھنے دیا تھا کہ یورپ میں آج کیا ہو رہا تھا۔

جیک کو اس کا احساس تھا کہ میونخ کے سمجھوتے کے خلاف دنیا بھر کے لوگوں کے جذبات میں تلاطم برپا تھا۔ جس کی وجہ سے وہ مسائل کو صحیح طور پر نہیں سمجھ رہے تھے۔ آخر حقیقت کیا تھی؟ بات صرف اتنی سی تھی کہ چیمبرلین نے چیکوسلوکیہ، ہٹلر کو اس لئے نہیں دیا تھا کہ وہ جرمن فوجوں سے خائف تھے۔ دراصل ان کے پس منظر وہ قوتیں کارفرما تھیں جو چیمبرلین کی پشت پر تھیں اور جنہوں نے برطانوی وزیراعظم کو مجبور کر دیا تھا کہ وہ ان کی مرضی کے مطابق عمل کریں۔ جو لوگ یہ کہتے ہیں کہ میونخ میں چیمبرلین کو ناکامی ہوئی تھی وہ غلط کہتے ہیں۔ جیک نے لکھا کہ واقعات اس سے کہیں زیادہ

گہرے تھے، اور یہ حقیقت تھی کہ برطانیہ اب تک پورے طور پر جنگ کے لئے تیار نہیں تھا کیونکہ وہ مسلح نہیں تھا۔

جیک کے مقالے کا غالباً سب سے بحث طلب پہلو یہ تھا کہ اس نے یہ کہہ دیا تھا کہ برطانیہ اور امریکہ جیسے آزاد ملکوں کے لئے یہ ممکن نہیں تھا کہ وہ اپنی آزاد حکومتیں کھوئے بغیر جنگ کے تقاضے پورے کر دیں۔ یہ ان کے لئے مشکل تھا۔ ایک ایسی حکومت جو عوام کی خواہشات کے مطابق چلتی ہے۔ اس کی رفتار بہت سست ہوتی ہے۔ یہ حقیقت کہ برطانیہ فوجی طور پر کمزور تھا۔ جیک کے اندازِ فکر کو تقویت بخشتی تھی۔ اس کے مقابلے میں جرمنی کی برق رفتار طاقت اور ترقی یہ ثابت کرتی تھی کہ وہ جنگی طاقت اور تیزی سے بڑھا سکتا تھا۔

اس سے بھی زیادہ قابل غور پہلو یہ تھا کہ جیکؔ کی دور بین نگاہوں نے ان مسائل کو بھی بھانپ لیا تھا جن کا ریاستہائے متحدہ امریکہ کو سامنا تھا۔ اس نے کہا۔ امریکہ کو چاہئے جتنی جلدی ہو سکے اپنی فوجی طاقت بڑھائے۔ آزاد امریکی نظامِ حکومت (جسے جمہوریت کا نام دیا گیا ہے) کو بچانے کا یہی ایک طریقہ تھا۔ امریکہ اپنے آپ کو صرف اپنی قوت بڑھا کر ہی تباہی سے بچا سکتا تھا۔ اس نے لکھا۔ اسے برطانیہ کے نقشِ قدم پر چل کر خود کو تباہ نہیں کر لینا چاہئے۔ برطانیہ کی روش نے تباہی کے دروازے تک پہنچا دیا تھا۔ جیک کے مقالے میں شروع سے آخر تک کہیں راست اور کہیں ڈھکے چھپے انداز میں اس خیال کی ترجمانی کی گئی تھی کہ اگر لوگ اپنے ملک کی مدد کرنا چاہتے ہیں تو ان کے لئے ضروری ہے کہ وہ اپنی آرزوئیں اور خواہشیں بھلا دیں۔ آزاد قوموں کو ایسے خطرناک حالات میں، اپنی حکومت سے مکمل تعاون کے لئے تیار رہنا چاہئے۔ انہیں یہ سوچنا چاہئے کہ وہ اپنی حکومت کے لئے کیا کر سکتے ہیں، نہ یہ کہ وہ حکومت سے کیا وصول کر سکتے ہیں۔ بیس سال کے بعد جیک کینیڈی نے اپنے

اس نظریہ کو ایک بار پھر پیش کیا۔ اس وقت اسے معلوم نہ تھا کہ ایک وقت ایسا بھی آئے گا جب صدر کی حیثیت سے وہ اسی انداز میں امریکی عوام سے مخاطب ہوگا اور ان سے دست تعاون بڑھانے کی درخواست کرے گا تا کہ سب مل جل کر کام کر سکیں اور دنیا کے امن کو مستحکم کر سکیں۔

اب 1940ء آ گیا تھا اور بہار کی ابتداء تھی۔ جب جیک کینیڈی اپنا مقالہ ہارورڈ میں اپنے استادوں کی خدمت میں پیش کر رہا تھا، عین اس وقت یورپ کے واقعات یہ ثابت کر رہے تھے کہ اس کے غوروفکر کا انداز بڑی حد تک صحیح تھا۔ جدید جنگی آلات سے لیس، جرمن فوجیں، ایک تباہ کن، ہولناک مشین کی طرح یورپ کے ملکوں کو یکے بعد دیگرے بے دردی سے موت کے گھاٹ اتار رہی تھیں۔

اس وقت یوں لگ رہا تھا جیسے جرمن فوجوں کی پیش قدمی روکنے کی کسی میں ہمت ہی نہ ہو۔ پہلے ہی حملوں میں بلجیم اور ہالینڈ کی کمر ٹوٹ گئی تھی۔ فرانس کے بارے میں دنیا کو خوش فہمی تھی کہ وہ بڑا طاقتور ملک ہے۔ لیکن وہاں بھی جرمنی کی بڑھتی ہوئی فوجوں کو کوئی نہ روک سکتا تھا اور دیکھتے ہی دیکھتے فرانس نے بھی گھٹنے ٹیک دیئے تھے۔

ایسے میں یہ صرف برطانیہ ہی تھا جو اب بھی مقابلہ کر رہا تھا۔ لیکن یورپ میں انگریز فوجوں کی بھی پٹائی ہو رہی تھی۔ جرمنوں نے انہیں ڈنکرک کے مقام پر سمندروں میں دھکیل دیا تھا۔ اس سے پہلے کہ انگریز سپاہی سمندر میں ڈوب جاتے، انگلستان سے ہزاروں کشتیاں اور جہاز انہیں بچا لانے کے لئے بھیجے گئے۔ یہ بھی ایک معجزہ ہی تھا کہ یہ کوشش کامیاب ہوئی اور برطانیہ کی فوج کو آنے والے معرکوں کے لئے بچا لیا گیا۔

اس طرح جب جیک کینیڈی نے اپنی تعلیم ہارورڈ میں مکمل کر لی اس وقت پورا یورپ جنگ کی آگ کے شعلوں کی لپیٹ میں تھا۔ جیک کے مقالے کو لوگوں نے

سراہا۔ اسے کالج کی طرف سے اعزاز بھی مل گیا۔ اس کی اطلاع جب سفیر جوزف کینیڈی کو ملی تو اس نے فخر سے بیٹے کو لکھا: ''تمہارے بارے میں مجھے دو باتیں ہمیشہ معلوم تھیں۔ وہ یہ کہ تم بڑے اچھے لڑکے ہو اور پھر ذہین بھی۔''

اپنے مقالے کی کامیابی کے پیش نظر جیک نے فیصلہ کیا کہ اسے کتابی صورت میں شائع کرنا چاہئے۔ اس نے اپنے باپ سے رائے لی تو انہوں نے بھی اس کے خیال کی حمایت کی۔ اس سلسلے میں باپ بیٹوں کے درمیان بڑی طویل خط و کتابت ہوئی جس میں اس مقالے کے بعض پہلوؤں پر تبادلہء خیال ہوا۔

باپ کا خیال تھا کہ جیک نے یہ کہہ کر کہ میونخ کے سمجھوتے کے موقع پر انگریزوں کی کمزوری ان کے سیاسی لیڈروں کی وجہ سے نہیں تھی، زیادتی کی تھی۔ وہ اس سے متفق تھے کہ انگریز قوم کو اس کی مطلق پروا نہیں تھی کہ میونخ میں ہوا کیا تھا لیکن انہیں یقین تھا کہ ان کے رہنما بھی ناکام ہو گئے تھے۔ انہوں نے بیٹے کو بتایا کہ ایک سیاسی لیڈر کو صرف عوام کے خیالات سننے سے زیادہ اور بہت کچھ کرنا چاہئے۔ اس سے یہ توقع کی جاتی ہے کہ وہ پوری قوم کی دیکھ بھال کرے اور عوام میں صحیح سیاسی شعور بیدار کرے اور انہیں دنیا کے حالات سے روشناس کرائے۔ جیک نے اپنے مقالے کو کتابی صورت میں شائع کرتے ہوئے اپنے باپ کے مشوروں کو مان لیا اور مسودہ میں ترمیم کر دی۔

اگر یہ کہا جائے کہ اس کتاب کے لئے بہت سے خیالات اس کے باپ نے دیئے تو یہ بھی ماننا پڑے گا کہ ان سب کی وضاحت نوعمر جیک نے خود کی۔ اس نے لکھا۔ ''یہ کہہ دینا کہ جو کچھ ہو رہا ہے اس کی وجہ سے جمہوریت نے عوام کی آنکھیں کھول دیں، کافی نہ ہوگا۔ جب گھر میں آگ لگ جاتی ہے تو کوئی بھی سو نہیں سکتا۔ جس چیز کی ضرورت ہوتی ہے وہ ہے مسلح نگہبانوں کا ایک مستعد دستہ، جس کا کام یہ ہو کہ وہ اس کا خیال رکھے کہ آگ لگ ہی نہ سکے۔'' آگے چل کر اس نے

کہا۔ ''امریکہ کو چاہئے کہ برطانیہ کے ساتھ جو کچھ ہوا اس سے وہ سبق حاصل کرے اور اپنی قوتوں سے کام لے۔ ہمیں چاہئے کہ اسی وقت اپنی قوتوں کو کام پر لگائیں۔ جب حالات معمول پر ہوں تو کوئی بھی نظامِ حکومت اچھی طرح کام کرسکتا ہے۔ لیکن وہی نظامِ حکومت دیرپا اور زندہ جاوید ہوسکتا ہے جو غیر معمولی اور خراب حالات میں اچھی طرح کام کرسکے۔''

ان الفاظ میں بڑا زور تھا۔ ان کے ساتھ ہی وہ خیال بھی سامنے آیا جس نے قوم کو فوراً عملی اقدام کی ترغیب یوں دی کہ وقت کی ضرورت اور اس کی اہمیت منظرعام پر آئی جس نے بھی یہ کتاب پڑھی جیک کے خیالات اور نظریات صاف طور پر اس کی سمجھ میں آ گئے۔ امریکہ جنگ سے قریب پہنچ گیا تھا۔ اب اس سے سفر ممکن نہیں تھا۔ جیک نے لکھا: ___ ''یہ ضروری ہے کہ ہم اُن وجوہ سے بھی واقف ہو جائیں جو جنگوں کا باعث ہوتے ہیں۔ اُس کی حکومت کی نرم پالیسی کے بارے میں بھی جان لیں جو ضرورت پڑنے پر فوراً عملی اقدام نہیں اٹھاسکتی، اور پھر مستقبل کے لئے ان کمزوریوں کا سدِّ باب کریں۔''

جیک نے اپنی کتاب کا نام ''آخر انگلستان سو کیوں رہا تھا؟'' (Why England Selpt?) رکھا۔ اسے بڑی کامیابی ہوئی اور شائع ہوتے ہی یہ لاکھوں کی تعداد میں بِک گئی، اس حقیقت کے باوجود کہ اس کے مصنف کی عمر صرف تئیس سال تھی، لوگوں نے اس کتاب کو ہاتھوں ہاتھ لیا۔ سفیر جوزف کینیڈی نے فخر کے ساتھ اس کے نسخے برطانیہ کی ملکہ اور وزیراعظم، چرچل کو بھیجے۔ انہوں نے اپنے بیٹے کو بھی ایک خط لکھا اور اس میں کہا___ ''تمہیں یہ جان کر حیرت ہوگی کہ تمہاری کتاب بہت پسند کی گئی۔ ایک کتاب اعلیٰ عہدوں پر فائز لوگوں کی دلچسپی کا باعث بن کر تمہارے کس طرح کام آئے گی، اس کا احساس تمہیں آگے چل کر ہوگا___ اس میں کوئی شک

نہیں کہ تم نے اپنے لئے بہت کچھ کیا ہے، اور بڑی کامیابی حاصل کی ہے۔''

اگر بقول اس کے باپ کے، جیک کینیڈی نے بڑی کامیابی حاصل کی تو دوسری طرف اس کے باپ کے بارے میں یہ نہیں کہا جا سکتا۔ سفیر جوزف کینیڈی، جنگ کی تباہ کاریوں سے متاثر لندن میں مقیم تھے۔ انہوں نے اس خیال ہی کی سخت سے مخالفت کی کہ امریکہ کو بھی جنگ میں شامل ہونا چاہئے۔ انہوں نے اخباری نمائندوں سے کہا ___ اگر آپ لوگ یہ دیکھ سکتے کہ جنگ نے لندن کے ساتھ اور یہاں کے اُن باشندوں کے ساتھ جنہیں مجبوراً یہاں رکنا پڑا ہے کیسا سلوک کیا ہے تو آپ کی سمجھ میں آجائے گا کہ میں جنگ کا مخالف کیوں ہوں ___ جب میں یہ کہوں کہ یہ ہماری جنگ نہیں ہے تو مجھے یقین ہے آپ اس کے پس منظر جو جذبہ کارفرما ہے وہ بھی سمجھ لیں گے۔''

بار بار سفیر کینیڈی نے اپنے ایسے ہی خیالات صدر روز ویلٹ تک پہنچوائے۔ انہوں نے اپنے خطوط میں بار بار اس نقطہءِ نظر کو پیش کیا کہ امریکہ کو اس ہولناک جنگ سے علیحدہ رہنا چاہئے۔ امریکہ کو اپنے آپ کو صرف اس لئے مسلح کرنا چاہئے تاکہ وہ دشمن سے محفوظ رہ سکے۔ لیکن جنگ میں شریک نہیں ہونا چاہئے۔

ان کا خیال تھا کہ یورپ کا بیشتر حصہ اشتراکی نظام کا شکار ہو جائے گا، اور یہ خیال صحیح ثابت ہوا۔ انہوں نے لندن پر جرمنوں کے ہوائی حملے دیکھے تھے اور ان کی تباہ کاریاں دیکھتے ہوئے صدر روز ویلٹ کو مشورہ دیا تھا کہ برطانیہ کے لئے امریکی امداد بے کار ہوگی۔ ان کی رائے یہ تھی کہ برطانیہ کی آخری گھڑیاں آن پہنچی تھیں۔ یہ ان مواقع میں سے غالباً ایک ہی موقع تھا جب جوزف پی کینیڈی نے مات کھائی۔ وقت نے ثابت کر دیا کہ ان کا یہ تجزیہ غلط تھا۔

جیک کی کتاب کی اشاعت کے تھوڑے عرصے کے بعد انگلستان کے بارے

میں سفیر کینیڈی کے خیالات بوسٹن کے ایک اخبار میں شائع ہوئے۔ اپنے ان خیالات کا اظہار انہوں نے اخباری نمائندوں کے ساتھ ایک ملاقات میں کیا تھا اور ان کا خیال تھا کہ یہ گفتگو صیغہءراز میں رہے گی۔ وہاں انہوں نے بڑی آزادی سے اپنے اس ڈر کا اظہار کیا تھا کہ انگلستان میں جمہوریت کا مستقبل بیحد تاریک ہے۔ بدقسمتی سے یہ کہانی دوسرے اخبار والوں تک بھی پہنچ گئی۔ کئی اخباروں نے اہمیت دی اور شائع کر دیا۔ ان خیالات کی اشاعت نے ان کی سفارتی زندگی کو ختم کر دیا کیونکہ اب وہ نہ امریکہ کے لئے مفید ثابت ہو سکتے تھے اور نہ انگلستان کے لئے۔ ظاہر ہے انہوں نے استعفیٰ دے دیا۔

اسی دوران میں جیک کے بڑے بھائی جو، جونیئر کو بھی سیاسی میدان میں ناکامی ہو رہی تھی۔ صرف تیئس سال کی عمر میں جیک ایک مقبول عام مصنف تھا۔ پچیس سال کی عمر میں جو، جونیئر کو ملکی سیاست میں دلچسپی ہو گئی تھی۔ اپنی پہلی ہی مہم میں اسے ڈیماکریٹک پارٹی کے ایک بڑے اجتماع کے لئے نمائندے کی حیثیت سے شرکت کی اجازت مل گئی۔ یہ اجازت چھوٹے انتخابات کے بعد ملتی تھی۔ پارٹی کا اجتماع ہر چوتھے سال ہوتا تھا اور اسی اجتماع میں صدارتی انتخابات میں کھڑے ہونے والا رکن چنا جاتا تھا۔ صدارتی امیدوار کا انتخاب پارٹی کے وہ تمام نمائندے کرتے تھے جو ملک کے گوشے گوشے سے خود چھوٹے چھوٹے علاقائی انتخابات میں کامیاب ہو کر بڑے مرکزی انتخاب میں شرکت کرنے کے لئے آئے تھے۔ جو سے بھی یہ توقع کی گئی تھی کہ وہ اس بڑے اجتماع میں اُن لوگوں کی خواہشات کی ترجمانی کرے گا۔ جنہوں نے اسے چُن کر وہاں بھیجا تھا۔

ڈیماکریٹک پارٹی کے نمائندوں کی اکثریت کی یہ خواہش تھی کہ وہ صدر روزویلٹ ہی کو تیسری بار صدارتی انتخاب لڑنے کے لئے نامزد کریں۔ اگر انتخابات میں انہیں

کامیابی ہو جاتی تو یہ امریکی تاریخ میں پہلی مثال ہوتی کہ کوئی صدر آٹھ سال سے زیادہ کی مدت کے لئے صدارتی عہدہ پر فائز رہا۔ جوؔ نے اس خیال کی مخالفت کی۔ اس نے بڑے صاف صاف لفظوں میں بار بار اپنے خیالات کا اظہار کیا۔ جب ووٹ گنے گئے تو صدر روزویلٹ کی حمایت میں 946 ووٹ آئے۔ انہیں صدارتی انتخاب میں پارٹی کی طرف سے نامزدگی کے لئے صرف 551 ووٹوں کی ضرورت تھی۔ اس سے ظاہر ہوتا ہے کہ صدر روزویلٹ کو کس حد تک اپنی پارٹی کی حمایت حاصل تھی۔ اس کے باوجود نوعمر جوؔ نے صدر کی حمایت میں ووٹ نہیں دیا۔ اس نے جیمس فارلے (Farley) کو اپنی حمایت کا یقین دلایا تھا۔ فارلے نے بھی روزویلٹ کی صرف اس لئے مخالفت کی تھی کہ اس کے خیال میں صدر کو تیسری بار نہیں کھڑے ہونا چاہئے۔ جوؔ کو لوگوں نے بہت سمجھایا لیکن وہ اپنی ضد پر اڑا رہا اور اپنی رائے نہیں بدلی۔ بعض مندوبین نے تو یہ تک کہا کہ اگر اس نے ان کی بات نہیں مانی تو وہ اس کے والد کو لندن ٹیلیفون کر کے انہیں ساری کہانی سنائیں گے اور ان سے کہیں گے کہ وہ اپنے بیٹے کو صدر کے حق میں ووٹ دینے کے لئے مجبور کریں۔ جوؔ اس دباؤ کے سامنے جھکنے پر تیار نہیں تھا۔

آخر دوسرے مندوبین نے جوؔ کینیڈی سے ٹرنک کال پر بات کی۔ ان سے پوچھا کہ کیا وہ اپنے بیٹے کو رائے بدلنے پر مجبور کریں گے؟ سفیر نے اس کا جواب نفی میں دیا اور صاف کہہ دیا کہ وہ اپنے بیٹے سے یہ ہرگز نہیں کہیں گے کہ اسے کیا کرنا یا کیا نہیں کرنا چاہئے۔ اگر اس کے کہنے پر اس نے اپنا ارادہ بدل دیا تو اس کے معنی یہ تھے کہ وہ بات کا دھنی نہیں تھا۔

پارٹی کے اُس اجتماع کے بعد جوؔ نے بھی اپنے باپ کی طرح صدر روزویلٹ کے انگلستان کی طرف دست تعاون بڑھانے کے منصوبے کی مخالفت میں تقریر کی۔ اس نے بھی صاف صاف کہا کہ امریکہ کو یورپ والوں کی جنگ سے دور رہنا چاہئے۔

وہاں باپ بیٹے دونوں کے جنگ کے بارے میں خیالات کو پسند نہیں کیا گیا۔ ہر حالت میں اور ہر قیمت پر امن قائم رکھنے کی حمایت میں سفیر کینیڈی اور جو کینیڈی نے اب تک جو کچھ کہا یا لکھا تھا اسے بھی لوگوں نے پسند نہیں کیا۔ بعد کے واقعات نے یہ واضح کر دیا کہ دونوں کا مطمح نظر کس قدر غلط تھا۔ اب یہ ان باپ بیٹوں کی بڑائی کا ثبوت ہے کہ جب انہیں اپنی کوتاہ نگاہی کا احساس ہوا تو دونوں نے کھلے بندوں اس کا اعتراف کر لیا۔ دونوں نے خلوص اور سنجیدگی سے جو کچھ محسوس کیا تھا اسی کا اظہار انہوں نے کیا تھا۔ کسی بھی دباؤ میں آ کر اپنی رائے نہیں بدلی۔

بڑے بھائی نے جنگ سے دور رہنے کی جو حمایت کی تھی اس سے جیک کو پورے طور پر اتفاق نہیں تھا۔ اس سلسلے میں وہ اپنے باپ اور بھائی سے صرف جزوی طور پر ہی متفق تھا۔ جنگ کی وجوہ اور دیگر مسائل کے پس منظر کو جیک نے کیا سمجھا تھا اس کے بارے میں اس نے اپنی تحریر ___ ''آخر انگلستان سو کیوں رہا تھا؟'' ___ میں لکھا ہی تھا۔ اب ہر مسئلے میں ڈوب کر تجزیہ کی اسے عادت ہو گئی تھی جس کی وجہ سے وہ تصویر کے دونوں رُخ دیکھ سکتا تھا۔ اس کے برعکس اس کا بڑا بھائی مسائل کا اتنی وسعت نگاہ سے نہیں پرکھ سکتا تھا۔ اس کے باوجود کہ دونوں بھائیوں کے سیاسی خیالات اتنے مختلف تھے، دونوں بڑے اچھے دوست تھے۔ ان دونوں کے درمیان جو اکثر مقابلے ہوا کرتے، وہ اب آپ ہی آپ ختم ہو چکے تھے۔ اب ایک دوسرے سے سبقت لے جانے کی خواہش بھی نہیں تھی۔ دونوں اپنے اپنے خیالات اور حالات میں مگن تھے۔ چنانچہ اس سال انہوں نے ساتھ گرمیاں گزارنے کا پروگرام بنایا۔ یہ گرمیاں ہیانس پورٹ میں گزرنی تھیں۔

طوفان سے پہلے

یہ 1940ء کی گرمیوں کی بات ہے۔ یہ وہ آخری گرمیاں تھیں۔ جب تمام بچے ایک ساتھ وہاں نظر آئے۔ کینیڈی خاندان کے نو کے نو بچے اس سال وہاں گرمیاں گزارنے آئے تھے۔ جنگ عظیم کا مہیب سایہ جلد ہی امریکہ پر بھی چھانے والا تھا۔ انہیں کیا معلوم تھا کہ یہ ہولناک جنگ پورے امریکہ کی بنیادیں ہلا کر رکھ دے گی اور اس کے ساتھ ہی کینیڈی خاندان بھی منتشر ہو جائے گا۔ اڈالف ہٹلر اور اس کی جرمن فوجیں یورپ کے بہت سے ملکوں کو اپنے قدموں تلے روندتی ہوئی آگے بڑھ رہی تھیں۔ دور مشرق میں جاپان نے اپنی جنگی طاقت کو خطرناک حد تک تیزی سے بڑھانا شروع کر دیا تھا۔

امریکہ میں کینیڈی خاندان کے ارکان سے زیادہ دنیا کی سیاست کو سمجھنے والے بہت کم کنبے تھے۔ جو لوگ تھوڑی سی سیاسی سوجھ بوجھ بھی رکھتے تھے وہ جانتے تھے کہ بہت جلد ساری دنیا پر انسانی تاریخ کی سب سے بڑی جنگ کے ہولناک سیاہ بادل چھانے والے تھے۔ آج صرف انگلستان لڑ رہا تھا۔ بہت جلد امریکہ کو اس کی مدد کے لئے جنگ میں شریک ہونا تھا۔

اب تک وقت، کینیڈی خاندان کے بچوں پر بہت مہربان رہا تھا۔

ان کا گرمائی مکان سمندر کے ساحل پر ہیانس پورٹ (Hyannis Port)

کے مقام پر تھا۔ اب کے وہ سب کے سب وہاں جمع ہوئے تھے۔ اس خاندان میں اب کئی نوعمر مرد اور عورتیں تھیں جن کا مستقبل شاندار نظر آ رہا تھا۔ اگر چہ سب کو جو کے سیاسی عقائد سے اتفاق نہیں تھا، پھر بھی ایک سیاست داں کی حیثیت سے وہ خاصا مشہور ہو چکا تھا۔ جیک نے ایک بہت زیادہ بکنے والے مقبول عام مصنف کی حیثیت سے شہرت حاصل کر لی تھی۔ کیتھلین نے صحافت کو اپنایا تھا، اور وہ واشنگٹن کے ایک اخبار میں کام کر رہی تھی۔ خاندان کے بقیہ چھ چھوٹے بچوں کو اپنے مشہور بڑے بھائیوں اور بہن پر ناز تھا۔ لیکن کینیڈی خاندان میں اس قسم کے جذبات کی کوئی خاص اہمیت نہیں تھی۔ کیونکہ وہ تو ہمیشہ ایک دوسرے سے سبقت لے جانے کے لئے تیار نظر آتے۔

ایک مرتبہ جیک کا ایک دوست ان کے ساتھ ہفتہ اور اتوار کی چھٹی گزارنے آیا۔ وہاں اس کی بہت سے نوجوانوں سے ملاقات ہوئی۔ ان میں لڑکے بھی تھے اور لڑکیاں بھی۔ سب کے سب کینیڈی خاندان کے بچوں کے دوست تھے اور کوئی اسکول میں پڑھتا تھا اور کوئی کالج میں۔ دراصل اس زمانے میں ان کی کوٹھی ہفتہ کی چھٹی گزارنے والے ہشاش بشاش لڑکوں اور لڑکیوں سے بھری ہوئی تھی۔

اُس دوست کو وہ حسین دن اب بھی یاد ہیں۔ وہ کہتا ہے ____ ''وہاں بہت سے کھیل ہوتے۔ ٹچ فٹ بال کی باری آئی تو ہم سب نے مل کر دو علیحدہ ٹیمیں بنالیں۔ ہماری ٹیم کی کپتان کیتھلین تھی۔ ہم گھنٹوں بے فکری سے ادھم مچاتے پھرے۔ ہر لمحہ دلچسپی کا کوئی نہ کوئی سامان مہیا ہو جاتا۔ رات کے کھانے کے بعد میز پر جو باتیں ہوتیں وہ ہمیشہ بیحد دلچسپ ہوتیں اور سب کا اس میں خوب جی لگتا۔ ہر قسم کے موضوع پر گفتگو ہوتی۔ چنانچہ اسی رات کو ہم نے واشنگٹن کی سیاست سے لے کر کتابیں، کھیل کود اور فلم اور تھیٹر تک پر خوب کھل کر باتیں کیں۔''

مہمان جب بھی وہاں آتے وہ کینیڈی خاندان کے بچوں کی توانائی سے بڑے متاثر ہوتے۔ وہ دیکھتے کہ ان بچوں کے لئے آرام کا وقت صرف اسی وقت آتا تھا جب وہ سوتے تھے۔ ورنہ ہر وقت دھما چوکڑی مچی رہتی۔ پہلی نظر میں یوں لگتا جیسے وہ کبھی سوتے ہی نہ ہوں۔ جب بھی وہ ایک جگہ جمع ہوتے کھیل کود کے لئے ہر وقت تیار رہتے۔

ٹچ فٹ بال کینیڈی خاندان کا ہمیشہ سے من پسند کھیل رہا ہے۔ بعد کو جب یہ بچے بڑے ہو گئے اور ان کی شادیاں ہونی شروع ہوئیں تو بھی کنبے والوں نے یہی توقع کی کہ ''نوواردوں کو'' ٹچ فٹ بال کا اچھا کھلاڑی ہونا چاہئے۔ دوستوں کو وہ واقعہ بھی یاد ہے جب کھیل کے دوران میں رابرٹ کینیڈی ایک باڑھ میں جا گرا تھا۔ اس کی وجہ سے وہ زخمی ہو گیا اور اس کا چہرہ خون سے لت پت ہو گیا۔ اس کے باوجود کھیل میں دلچسپی کا یہ عالم تھا کہ وہ آخر وقت تک کھیلتا رہا۔ کئی سال کے بعد جیک اپنے دوستوں سے کہتا ___ ''باَبی کی بیوی ایتھال (Ethall) واقعی بہت اچھی ہے۔ تمہیں اسے ٹچ فٹ بال کھیلتے دیکھنا چاہئے۔ بہترین انداز سے گیند پھینکتی ہے اور بھاگتی بھی بہت اچھا ہے۔''

دیکھتے ہی دیکھتے 1940ء کی گرمیاں آ گئیں اور یوں لگا جیسے دنیا، تاریکی کی طرف بڑھ رہی ہے۔ ساتھ ہی یوں محسوس ہو رہا تھا جیسے کینیڈی خاندان والے امن کے آخری چند مہینوں سے زیادہ سے زیادہ مستفید ہونا چاہ رہے تھے۔ شاید بچپن کا پیار اور سنہرا زمانہ تیزی سے ساتھ چھوڑ رہا تھا اور انہیں معلوم تھا کہ یہ حسین اور بے فکر دن لوٹ کر پھر کبھی نہیں آئیں گے اس کے بھی آثار تھے کہ چند ہی مہینوں میں یہ خاندان اور ان کا ملک دونوں جنگ کی لپیٹ میں آ جائیں گے اور یہ بچے، بچوں کی طرح نہیں بلکہ نوجوانوں کی طرح ملک کی حفاظت کے لئے سینہ سپر ہو جائیں گے۔ جنگ میں

کامیابی کے معنی یہ نہیں تھے کہ ان حسین دنوں کا ازالہ ہو جائے گا جب وہ فکر فردا سے بے خبر کھلنڈرے بچے تھے۔ 1940ء میں جو دنیا کینیڈی نوجوانوں اور امریکہ کے لئے منتظر تھی وہ بچوں یا نونہالوں کی دنیا نہیں تھی بلکہ بڑوں کی، بے درد دنیا تھی۔

1940ء میں جب یہ لوگ ہیانس پورٹ میں جمع تھے۔ اس زمانے میں مقابلہ ہمیشہ سے زیادہ شدید تھا۔ فٹ بال میں، کشتی چلانے میں ــــ ہر چیز میں۔ اور ان مقابلوں کے درمیان، کینیڈی خاندان کے بچے اجتماعی طور پر اس طرح پروان چڑھے کہ ہر ایک کی انفرادیت باقی رہی۔ ان لوگوں نے ایک دوسرے کو وہ قوت عطا کی جس کی انہیں آگے چل کر ضرورت پڑنے والی تھی۔ غیر یقینی مستقبل کے استقبال کی تیاری میں وہ کھو گئے اور یوں لگا جیسے وہ سوچ رہے ہوں ــــ حالات جو بھی ہوں ــــ کیا یہ کافی نہیں کہ ہم سب زندہ ہیں۔

ولیم ڈگلس بھی ان کے خاندان سے واقف ہیں۔ یہ امریکہ کے سپریم کورٹ کے جج ہیں۔ وہ ان کی گھریلو زندگی کے بارے میں کہتے ہیں۔ ــــ ''میرا تجربہ یہ ہے کہ عموماً اکثر نوجوان، زندگی کی سیڑھیاں چڑھتے ہوئے، اپنی اہم اور مرکزی دلچسپیوں کی تلاش گھر سے باہر کرتے ہیں لیکن کینیڈی خاندان کے افراد کو ایسی خوشیاں خود اپنے گھر میں، خود اپنے خاندانی حلقوں میں ملتی ہیں۔ ان کا گھر خوشیوں کا گہوارہ تھا ــــ ایک گوشہء سکون جہاں ہر طرح کا چین تھا، تفریح کا سامان تھا، اور سب سے اہم باتیں تھیں جن میں پریشانی یا کسی قسم کی کینہ پروری کو دخل نہیں تھا۔ لوگ فکرِ فردا سے بے نیاز زندگی کے حسن سے محظوظ ہوتے۔ ان کے لئے ان کا گھر جنت کا نمونہ تھا۔ شاید اس لئے ان کے لئے بیرونی دنیا میں اپنے لئے اپنے گھر سے زیادہ دلچسپ یا حسین جگہ ڈھونڈھ نکالنا آسان نہیں تھا۔ اسی لئے وہ ایک دوسرے سے اس قدر قریب ہیں اور اپنے آپ کو اتنا محفوظ سمجھتے ہیں۔''

بعد کو بوسٹن کے ایک صحافی ادیب جوزف ای۔ ڈینین (Joseph E. Dineen) نے کینیڈی خاندان کے بارے میں لکھا کہ ''جوزف کینیڈی کے بچوں اور بچیوں کو دولت سے کچھ زیادہ دلچسپی نہیں ___ ان میں سے ہر ایک دس لاکھ ڈالر کا مالک ہے ___ بچپن ہی سے انہیں قومی خدمات کے لئے تیار کیا گیا تھا۔ ان کی زندگی کا اہم مقصد یہ ہے کہ وہ جب تک یہاں ہیں، زیادہ سے زیادہ قوم کے کام آئیں اور اپنی دولت ان کی فلاح و بہبود میں خرچ کریں۔ اس خاندان کے کسی بھی فرد کے نزدیک کامیابی کا معیار یہ نہیں ہے کہ وہ کتنی دولت کما سکتا ہے۔ یہاں کامیابی کی پیمائش کا صرف ایک پیمانہ ہے اور وہ یہ کہ ''تم کیا کارنامے انجام دے سکے ہو؟''

وہ خوشگوار گرمیاں جتنی تیزی سے آئی تھیں اتنی ہی تیزی سے ختم بھی ہو گئیں۔ اگلی گرمیوں تک زندگی میں کئی انقلاب آنے تھے۔ سب سے پہلے جو، جونیئر نے امریکی بحریہ میں شرکت کر لی اور وہ ہوائی جہاز اڑانا سیکھنے لگا۔

جیک کا خیال تھا کہ وہ ایل (Yale) کے لاء اسکول میں اپنی تعلیم جاری رکھے۔ لیکن پھر اس نے اپنا ارادہ بدل دیا اور وہ کیلی فورنیا چلا گیا جہاں اس نے اسٹین فورڈ یونیورسٹی میں داخلہ لے لیا اور فنِ تجارت کی تعلیم حاصل کرنا شروع کر دی۔ یہ کورس چھ مہینے کا تھا۔ اس کے بعد اس کا جی سیاحت کو چاہا تو وہ جنوبی امریکہ کے ایک طویل سفر پر روانہ ہوا۔ جب وہ واپس آیا تو اس وقت جنگ امریکی ساحلوں سے قریب آ گئی تھی۔ جیک نے بھی فوج میں شرکت کی تیاری شروع کر دی۔

جو کے لئے بحریہ میں داخلہ آسان تھا۔ لیکن جیک کو ایک بڑے مسئلے کا سامنا کرنا پڑا۔ لیکن اس کے لئے یہ کوئی نئی بات نہیں تھی۔ ہمیشہ کی طرح اس بار بھی اس نے ان مشکلات کا خندہ پیشانی سے استقبال کیا کیونکہ اس کا خیال تھا کہ دنیا میں صعوبتیں اسی

لئے ہیں کہ ان کا مقابلہ کیا جائے اور ان پر قابو پایا جائے۔

شروع میں اس کا ارادہ ہوائی فوج میں شریک ہونے کا تھا۔ لیکن اسے معلوم تھا کہ اس چوٹ کی وجہ سے جو ہارورڈ میں فٹ بال کھیلتے ہوئے اس کی پیٹھ پر لگی تھی۔ اسے ہوائی فوج میں داخلہ نہ ملے گا پھر اس نے برّی فوج میں بھرتی کی کوشش کی۔ لیکن برّی فوج کے سپاہیوں کو بڑی سخت زندگی گزارنی پڑتی ہے۔ اسی لئے طبی بورڈ نے اسے پاس نہیں کیا۔ کیونکہ ان کی رائے میں اپنی پیٹھ کی تکلیف کی بنا پر جیک ایک سپاہی کی سخت زندگی نہیں گزار سکتا تھا۔

کسی بھی کینڈی کے لئے، جسمانی کمزوری کی وجہ سے اپنے ارادوں میں ناکام ہونا بڑا ہی پریشان کن تجربہ تھا۔ جیک نے اس سلسلے میں ماہرین سے مشورہ کیا اور ان کی رہبری میں خوب محنت کی تاکہ اس کی جسمانی کمزوری دور ہو جائے۔ یہ تربیت پانچ مہینوں تک جاری رہی۔ اس کے بعد اسے امریکی بحریہ میں جگہ مل گئی اور وہ بحریہ کا افسر بن گیا۔

ابتدائی مہینوں میں اسے واشنگٹن کے ایک دفتر میں مقرر کیا گیا۔ لیکن جنگ کے بارے میں جیک کے تو بڑے مختلف خیالات تھے۔ بھلا دفتر میں بیٹھ کر بھی جنگ لڑی جاسکتی تھی؟ وہ تو میدانِ جنگ میں پہنچنے کے لئے بے چین تھا۔ اس نے اپنا اور اپنے والد کا رسوخ استعمال کیا تاکہ اسے فوراً محاذ پر بھیج دیا جائے۔

1942ء کے آخری مہینوں میں اس کی آرزو پوری ہوگئی۔ اسے گشتی تارپیڈو کشتیوں کے اسکول میں بھیج دیا گیا۔ تارپیڈو کو ایک طرح کے بم سمجھئے جو کشتیوں سے چھوڑے جاتے ہیں اور جو دشمن کے جہازوں کا بڑی کامیابی سے صفایا کر دیتے ہیں۔ تارپیڈو کشتیاں چھوٹی چھوٹی سی ہوتی ہیں اور خطرناک قسم کے تارپیڈو سے لیس ہوتی ہیں۔ جیک کو ان چھوٹے جہازوں کے کمان کی تربیت دی گئی۔

اسے یقین تھا کہ اگر اس کی زخمی پیٹھ اسے یہ فرائض خوش اسلوبی سے انجام دینے کی اجازت دے تو وہ سب کچھ کر سکتا تھا۔ تارپیڈو کشتیاں ''پی ٹی کشتیاں'' کہلاتی تھیں۔ انہیں سمندر کی لہروں پر بڑی تیزی سے چلایا جاتا ہے۔ اس کے معنی یہ تھے کہ وہ ہر وقت بپھری ہوئی لہروں پر کبھی اوپر کو اُٹھتیں، کبھی جھکولے کھاتی ہوئی نیچے آتیں، اُچھلتی، کودتیں اور ہر وقت اِدھر اُدھر ڈولتی رہتیں۔

جیک کا قد چھ فٹ تھا لیکن وہ بانس کی طرح پتلا تھا۔ لمبے اور پتلے بانس کو انگریزی زبان میں شیفٹ (Shaft) کہتے ہیں۔ اسی لئے اس کے ساتھی افسر اسے ''شیفٹی'' کہنے لگے۔ اپنے براؤن (بھورے) بالوں کی وجہ سے وہ اپنی عمر سے بہت چھوٹا لگتا۔ اسے دیکھ کر کوئی یقین نہیں کر سکتا تھا کہ اس کی عمر 25 سال ہے۔ اکثر یہ بھی ہوا کہ لوگوں نے اسے فرصت کے اوقات میں یونیفارم کے بغیر دیکھا تو یہ سمجھا کہ وہ کسی افسر کا بیٹا ہے۔ بعد کو انہیں پتہ چلا کہ یہ صاحب تو ان کے استاد ہیں جو انہیں یہ سکھائیں گے کہ پی ٹی کشتیوں کو کس طرح چلایا جاتا ہے۔

لیکن جب بھی یہ چھوٹے سے جنگی جہاز سمندر میں ہوتے تو جیک کی یہ کہانی مختلف ہوتی۔ جب یہ کشتیاں اس کی کمان میں چلتیں تو وہ اتنا کم عمر نہ لگتا۔ جب اس کا تربیتی دور ختم ہونے کو آیا تو اس کے اساتذہ نے بلا تامل اسے ایک قابلِ اعتماد افسر قرار دیا۔ وہ کام کے معاملے میں کامل تھا۔ اس کے ساتھ ہی محتاط بھی۔ وہ ہر وقت اپنے فرائض انجام دینے کے لئے خندہ پیشانی سے مستعد نظر آتا۔

1943ء کے شروع میں جیک کو سان فرانسسکو سے دور بھیج دیا گیا۔ جنوبی بحرالکاہل کے علاقوں میں جاپان سے بحری، برّی اور ہوائی جنگ بڑی خطرناک صورت اختیار کر رہی تھی۔ امریکی فوجیں بڑی تعداد میں وہاں بھیجی جا رہی تھیں۔ جیک کو بھی قسمت اسی سلسلے میں وہاں لے گئی۔ اسے رینڈوا (Rendava) کے جزیرہ

میں بھیجا گیا۔ یہ جزیرہ جورجیا کے جنوب میں تھا۔ چند ہی مہینوں کے بعد اسے اپنی کشتی پی ٹی نمبر 109 (P.T.109) کا کمانڈر مقرر کر دیا گیا۔ اس کے ماتحت دو افسر اور دس سپاہی تھے۔ ان سب کو جلد ایک ایسے معرکے میں حصہ لینا تھا جس نے جیک کینیڈی کو بڑی شہرت بخشی۔

حصہ دوم

جنگ

موت کے مُنہ میں

پی ٹی نمبر 109 سے جس قسم کے فرائض کی توقع کی جاتی تھی۔ وہ خاصے مشکل تھے۔ اُس سے اپنے علاقے کی حفاظت کے ساتھ ساتھ دشمن کے خلاف جارحانہ کاروائیوں کی بھی توقع کی جاتی تھی۔ جان ایف کینیڈی اسے سولومن جزائر کے آس پاس کے سمندر میں چلایا کرتا۔ جب بھی جاپانی جہاز، ان جزائر میں سے کسی پر اپنے سپاہی اتارنے کی کوشش کرتے تو وہ ان کی کوششیں خاک میں ملا دیتا۔ سپاہیوں کو موت کے گھاٹ اور دشمن کے جہازوں کو سمندر کی تہہ میں پہنچا دیتا۔ بعض جزیروں پر جاپانیوں کا قبضہ ہو چکا تھا۔ وہ اپنی کشتی کی توپوں سے ان جزیروں کے جاپانی اڈوں اور مورچوں پر بھی حملہ کرتا۔ ظاہر ہے کہ یہ بڑا خطرناک اور جان جوکھوں کا کام تھا۔ کینیڈی کی کشتی کی لمبائی صرف ستتر (77) فٹ تھی۔ اس نے اپنی ذہانت اور اعلیٰ قیادت سے اپنے سپاہیوں کے دلوں میں اپنے لئے اعتماد پیدا کر دیا تھا اور اب وہ اپنے آپ کو محفوظ تصور کرتے تھے۔

1943ء کی گرمیوں تک کینیڈی اور اس کے جوانوں نے پی ٹی نمبر 109 پر تیس ایسے ہی خطرناک سفر طے کر لئے۔ وہ اور اس کے ساتھی، امریکیوں کے اس بڑے منصوبے کا ایک حصہ تھے جو جاپانیوں کو جنوبی بحرالکاہل، خاص طور پر نیو جارجیا کے جزیرہ سے نکال باہر کرنے کے لئے تیار کیا گیا تھا۔ اس جزیرے پر

جاپانی قابض ہو گئے تھے۔ جیک کی کشتی کو کئی بار خونریز معرکوں سے سابقہ پڑ چکا تھا۔ اکثر یہ خطروں میں گھری رہتی اور ہر دم یوں لگتا جیسے تباہی اور موت آن پہنچی ہو۔ پھر معاً وہ بچ نکلتی اور اس طرح اب تک جیک کینیڈی، اس کے ساتھی اور ان کی کشتی پی ٹی نمبر 109 محفوظ تھی۔

لیکن اس کا اکتیسواں سفر مختلف ثابت ہوا۔

2- اگست 1943ء کو جیک کینیڈی زندگی اور موت کی کشمکش میں جا پھنسا۔ اس دن ان کی کشتی، اپنے مرکز سے چالیس میل دور پہرے پر تھی۔ وہ بڑی تاریک اور طوفانی رات تھی اور دو بج چکے تھے۔

رات کی تاریکی سے فائدہ اٹھاتے ہوئے جاپانی اپنے سپاہیوں کو بڑے جزیرے سے منتقل کر کے شمال کی طرف، دوسرے جزیروں میں لے جا رہے تھے تاکہ وہاں سے اتحادیوں پر بھرپور حملہ کیا جا سکے۔ وہیں، آس پاس، آسمانوں پر جاپانی ہوائی جہاز بھی شکار کی تلاش میں منڈلا رہے تھے۔ ان کو حکم دیا گیا تھا کہ امریکی تارپیڈو جہازوں کو تلاش کر کے ان کا پیچھا کرو اور ان کے پرخچے اُڑا دو۔

اپنی کشتی میں جیک سامنے کی طرف بیٹھا تھا۔ کشتی بہت ہی آہستہ آہستہ چل رہی تھی تاکہ کسی قسم کی آواز نہ پیدا ہو۔ اس کا ماتحت عملہ پوری طرح چوکنا تھا۔ ہر ایک کی نظریں رات کے اندھیرے کو چیرتی ہوئی، دشمن کی تلاش میں تھیں۔

لیکن انہیں اس کا علم ہی نہیں تھا کہ قریب ہی جاپان کا ایک بڑا جنگی جہاز تھا جس کا نام اماگری (Amagiri) تھا۔ اس کا کمانڈر، کپتان کوہی ہاناآمی کی نظریں بھی امریکی شکار کی تلاش میں تھیں۔ وہ جہاز پر کھڑا اندھیرے میں امریکی کشتیوں کو ڈھونڈھ رہا تھا۔ بدلہ لینے کا جنون اس پر مسلط تھا۔ کیوں کہ دن بھر امریکی ہوائی جہازوں نے اس کے جہاز کو نشانہ بنانے کی کوشش کی تھی۔ اب اسے یقین تھا کہ کوئی نہ

کوئی امریکی پی ٹی کشتی ضرور اپنے اڈوں سے باہر نکلے گی، کسی نہ کسی طرف سے ضرور نمودار ہوگی اور وہ اسے جہنم رسید کر دے گا۔ وہ اسی ادھیڑ بن میں تھا کہ یکا یک اسے ایک پی ٹی کشتی نظر آ ہی گئی جو تقریباً آدھ میل دور، پانی کو چیرتی ہوئی آہستہ آہستہ سفر کر رہی تھی۔

ہانامؔی نے فوراً اس افسر کو آواز دی جو پہیے سنبھالے، جہاز کو چلا رہا تھا۔ اسے حکم ملا کہ وہ جہاز کا رُخ کسی قدر دائیں طرف موڑ دے۔

جاپانی جہاز کی موجودگی سے بے خبر، پی ٹی کشتی پر کمانڈر جیک کینیڈی خاصا جھنجھلایا ہوا تھا کیوں کہ اندھیرے کی وجہ سے اب تک وہ لوگ دشمن کو نہ ڈھونڈھ سکے تھے۔ یہی حال اس کے ساتھیوں کا تھا۔ یکا یک اس کا ایک ماتحت چیخا ___ ''وہ دیکھو ___ ایک جہاز ___ ہماری طرف آ رہا ہے۔'' اس کی چیخ سنتے ہی جیک گھبرا کر اس کی طرف مڑا واقعی دشمن کا ایک بڑا جنگی جہاز تیزی سے ان کی طرف آ رہا تھا اور اس کے تیور بڑے خطرناک تھے۔ اب کے جیکؔ نے بھی چیخ کر اپنے ساتھیوں کو خبردار کر دیا۔ فوراً گھنٹی بجائی گئی جس کے معنی یہ تھے کہ کشتی کے ہر فرد کو فوراً جھپٹ کر حملے کے لئے تیار ہو جانا تھا۔ جاپانی جہاز کی رفتار خاصی تیز تھی۔ اسے دیکھتے ہوئے جیک نے حکم دیا کہ جہاز کو جتنی تیزی سے ہو سکے، بچا کر نکالنے کی کوشش کرو۔ کشتی کے اُس رخ پر، جس طرف سے جاپانی جہاز آ رہا تھا ایک افسر بیٹھا تھا جس کا نام راسؔ تھا، جارج راسؔ ___ اس نے وہ بڑی توپ داغنے کی کوشش کی جسے ان لوگوں نے لکڑی کے ایک ٹکڑے پر لگا رکھا تھا۔ لیکن اسے کامیابی نہیں ہوئی اور توپ نہیں چلی۔ اسی لمحے تیس میل فی گھنٹہ کی رفتار سے چلتے ہوئے، ایک مست بھینسے کی طرح، جاپانی جہاز، ہلکی پھلکی پی ٹی کشتی میں سے اس طرح آسانی سے گزر گیا جس طرح مکھن میں سے چُھری گزر جاتی ہے۔ یہ ساری کارروائی اتنی آناً فاناً ہوئی کہ کسی کو پتہ ہی نہیں چلا کہ ہوا

کیا ہے۔اب جو لوگوں کو ہوش آیا تو معلوم ہوا اما گری، ان کی چھوٹی سی کشتی کو دو ٹکڑوں میں بانٹ کر آگے نکل گیا تھا۔اس کے ساتھ ہی پی ٹی نمبر 109 کو آگ کے شعلوں نے اپنی لپیٹ میں لے لیا۔

اس تصادم کی شدت نے جیک اور اس کے ایک سپاہی جان میگوائر کو کشتی ہی میں ایک طرف اچھال دیا۔اندھیرے میں میگوائر نے اپنے کمانڈر کی چیخ سنی اور پھر اس کی کراہٹ جس سے معلوم ہوتا تھا کہ وہ بڑی تکلیف میں ہے۔اتفاق سے کشتی کے جس حصہ پر جیک تھا اسے آگ نہیں لگی تھی۔

ادھر جاپانی جہاز آگے بڑھ کر رُک گیا اور ان کی طرف مڑا۔پھر ہانامی نے اپنے توپچیوں کو حکم دیا کہ امریکی کشتی کے بچے کھچے حصے کو اپنی توپوں سے تباہ کر دیں۔عین اس وقت جلتی ہوئی کشتی کے شعلے بھڑکے تو اس نے توپچیوں کو روکا۔اب گولے برسانا حماقت کا فعل تھا کیونکہ اس کے خیال میں امریکی پی ٹی کشتی اپنے عملے کے ساتھ مکمل طور پر تباہ ہو کر، سمندر کی تہہ میں پہنچنے ہی والی تھی۔ایسے میں بھلا کوئی انسان کیسے زندہ بچ سکتا۔جیک بھی تصادم کے بعد اچھل کر ایک طرف گرا تو بے اختیار اس نے سوچا___ آخری گھڑی آن پہنچی ہے! موت کے یہی تو آثار ہیں!!!

اُس رات جاپانی جہاز اما گری کے کپتان کا خیال صحیح نہیں تھا کیونکہ کئی امریکی ابھی زندہ تھے۔پی ٹی کشتی کا آدھا حصہ آگ کے شعلوں سے بچ کر سمندر میں بُری طرح ہچکولے کھا رہا تھا۔کینیڈی کو جب ذرا ہوش آیا تو اس نے دیکھا کہ اس کے ساتھ چار جوان اور تھے جو تختوں کا سہارا لئے ہوئے سمندر میں اپنی زندگی کے لئے جدو جہد کر رہے تھے۔اس نے دوسروں کو بھی پکارا تو اسے فوراً ان کے جواب مل گئے۔چھ اور جوان قریب ہی پانی میں تھے۔ان میں سے ایک پیٹ میک موہن (Pat Mac Mohan) تھا۔جو آگ سے بُری طرح جھلس گیا تھا۔اس کے قریب

ہی چارلس ہارِس بھی تھا اور اس نے پیٹ کو سہارا دے رکھا تھا۔ لیکن ہارِس بھی خاصی تکلیف میں تھا۔ کیوں کہ اس کی ایک ٹانگ شدید طور پر زخمی ہو گئی تھی۔ جس کی وجہ سے وہ پَیر نہیں سکتا تھا۔

ہارِس کو جیک کی آواز سنائی دی تو وہ چیخا ___ ''کمانڈر کمانڈر ___ میک موہن بُری طرح سے جل گیا ہے۔ کیا آپ اس کی مدد کو آ سکتے ہیں؟''

جیک اپنی تکلیف بھول کر فوراً تختہ کو چھوڑ کر پَیرتا ہوا اپنے دونوں زخمی ساتھیوں کے پاس جا پہنچا۔ اس نے میک موہن کو اپنے بازوؤں میں لے لیا اور اسے گھسیٹتا ہوا کشتی کے اس حصے تک لے گیا جو ابھی تک ڈوبا نہیں تھا۔ دوسروں نے اپنے زخمی ساتھی کو اوپر گھسیٹ لیا۔ اس کے بعد جیک دوبارہ پَیرتا ہوا گیا اور ہارِس کو سہارا دیا۔ اسے اوپر اُٹھایا اور پَیر سے جوتے اتار کر پھینک دیئے اور اسے بھی کشتی کی طرف لے جانے کی کوشش کی۔ لیکن ہارِس کا پَیر کچھ اتنا زیادہ زخمی تھا کہ اس کے لئے پَیرنا، ناممکن تھا۔

''کمانڈر ___ میں بالکل پَیر نہیں سکتا!'' اس نے کراہتے ہوئے کہا۔ ''کوشش تو کرو۔'' جیک نے جواب دیا۔ ''نہیں جناب ___ میں اور آگے نہیں چل سکتا۔'' یہ کہتے ہوئے وہ لمبی لمبی سانسیں لینے لگا۔ اس پر جیک نے غور سے اسے دیکھا اور پھر آہستہ سے کہا۔ ''کمال ہے بھئی ___ بوسٹن کے ایک شہری ہونے کے باوجود اتنی سی تکلیف برداشت نہیں کر سکتے؟ ___ کوشش تو کرو ہارِس۔''

خدا جانے اس جملے میں کون سا جادو تھا کہ ہارِس نے ہمت کی اور دونوں بہت آہستہ آہستہ آگے بڑھے اور گھنٹہ بھر کے بعد دونوں پی ٹی نمبر 109 کے باقی ماندہ حصے تک پہنچ گئے۔ یہ حصہ اب بھی ہوا اور پانی کی لہروں کے ساتھ متحرک تھا۔ اس کا راز صرف یہ تھا کہ اس قسم کی کشتی کا اگلا حصہ کچھ اس طرح کا ہوتا تھا کہ اس میں پانی گھس

نہیں سکتا تھا۔ اسی لئے وہ اب تک صحیح سالم تھا اور دوسرے حصے کی طرح ڈوبا نہیں تھا۔

اب کشتی کے اس حصے پر گیارہ امریکی بے دم پڑے تھے۔ خوف و ہراس نے بھی انہیں سہما رکھا تھا۔ وقت گزرتا گیا۔ میک موہن کی تکلیف بڑھتی گئی۔ ان کا ایک اور ساتھی بل جانسٹن بھی بیمار پڑ گیا۔

حالات بہت خراب تھے۔ ان لوگوں کے پاس نہ کھانے کو کھانا اور نہ پینے کو پانی۔ بیماروں کے علاج کے لئے بھی کوئی دوا نہیں تھی۔ جنگ زوروں پر جاری تھی اور شمالی آسمان کو جنگ کے شعلوں نے روشن کر رکھا تھا۔ ان کے چاروں طرف تاریک، خوفناک سمندر تھا جس میں امید کی کرن کا دور دور تک پتہ نہ تھا اور کسی طرف سے کمک کی کوئی امید نہیں تھی۔

آہستہ آہستہ رات گزر گئی۔ صبح کی سپیدی بھی ان کے لئے کمک کی کوئی امید نہ لائی۔ معاً ہر ایک نے یوں محسوس کیا جیسے امید کا دامن ہاتھ سے چھوٹ گیا ہو۔ غالباً بحری مرکز میں سب نے انہیں مردہ قرار دے دیا تھا۔

اب کشتی کی رفتار میں بھی خاصا ٹھہراؤ پیدا ہو چلا تھا۔ وہ ایک طرف جھک کر ایک خاص رُخ پر چل رہی تھی، شمال مشرق، جنوب اور مغرب میں وہ جزیرے تھے جن میں اعلیٰ تربیت یافتہ، مستعد جاپانی سپاہی بھرے ہوئے تھے۔ اگر ان کی نظر پڑ جاتی تو ان میں سے ہر ایک بڑی بے دردی سے قتل کر دیا جاتا۔ وہ کسی بھی امریکی کو کبھی نہ بخشتے۔

اب انہیں کیا کرنا تھا؟ اگلی منزل کونسی تھی؟ یہی ایک سوال تھا جو خاصی دیر سے جیک کینیڈی ____ کے ذہن پر چھایا ہوا تھا۔ اسے معلوم تھا کہ اس کے فرائض کیا ہیں؟ اسے تو ہر حالت میں اپنے ساتھیوں کی جان بچانی تھی۔

''اگر جاپانی اس طرف آنکلیں تو تم کیا کرو گے؟'' اس نے یکایک اپنے ساتھیوں سے پوچھا۔ ''لڑو گے یا چپ چاپ اپنے آپ کو ان کے حوالے کر دو گے۔''

''کس چیز سے لڑیں گے؟'' ایک ساتھی نے پوچھا۔ اس سوال کا جواب دینا آسان نہیں تھا۔

ہتھیار اب بھی ان کے پاس تھے ___ ایک مشین گن بھی تھی اور چند بندوقیں۔ لیکن ان سے کیا ہو سکتا تھا۔

''تم لوگ کیا کرنا چاہتے ہو؟'' جیکؔ نے دوبارہ پوچھا۔

''آپ جو بھی کہیں وہی کریں گے جناب۔'' کسی نے جواب دیا۔ ''آخر آپ ہمارے کمانڈر ہیں۔''

جیکؔ چند لمحے کھویا کھویا سا بیٹھا رہا۔ پھر اس نے ہر ایک کی رائے لی۔ لیکن وہ سب کسی ایک بات پر متفق نہ ہو سکے۔ آخر جیک کینیڈی کو احساس ہوا کہ فیصلہ کرنے کی ذمہ داری اب اسی پر آن پڑی تھی۔ اب اسی کو یہ فیصلہ کرنا تھا کہ انہیں کیا کرنا چاہیے۔

اب پی ٹی کشتی کا بچا کھچا حصہ بھی تیزی سے ڈوب رہا تھا۔ اس نے حکم دیا کہ سوائے زخمیوں کے باقی سب لوگ پانی میں اتر جائیں۔ پھر اس نے سہارا دے کر زخمیوں کو بھی پانی میں اتارا اور پھر کشتی پانی میں اُلٹ گئی۔ اس کا خیال تھا ان کے لئے یہی بہتر تھا کہ وہ اسے وہیں چھوڑیں اور پیَرتے ہوئے اس چھوٹے سے جزیرے تک جائیں جو جنوب مشرق میں تقریباً تین میل کے فاصلہ پر تھا۔ زخمیوں کو سب باری باری سہارا دے سکتے تھے۔

اب یہ لوگ اس بڑے جزیرے سے صرف میل بھر دور تھے جس پر جاپانی قابض تھے۔ انہیں افق سے قریب دشمن کا وہ اسٹیشن بھی نظر آ رہا تھا۔ جو فوجی گاڑیوں اور سپاہیوں سے بھرا ہوا تھا۔ اس لئے جب جیکؔ نے اپنے ساتھیوں سے کہا کہ پانی کی لہریں کشتی کو بہا کر دشمن کے جزیرے کی طرف لئے جا رہی ہیں تو یہ سن کر وہ کشتی سے دست بردار ہونے کے لئے تیار ہو گئے۔

جیکؔ نے بڑی حاضر دماغی سے کام لیا اور ان سے بڑے پُرسکون اور فیصلہ کن انداز میں کہا۔

''ہماری منزل چھوٹا جزیرہ ہے!'' اس نے ایک جزیرے کی طرف اشارہ کیا۔ جیکؔ نے اپنے ساتھیوں کو لکڑی کے اُس تختے کو مضبوطی سے تھامے رکھنے کے لئے کہا جس پر توپ بندھی ہوئی تھی۔ میک موہن کی دیکھ بھال کی ذمہ داری اس نے خود قبول کر لی۔

جب سب اس کے حکم پر عمل کرتے ہوئے پانی میں آگے نکل گئے تو اس نے وہ دو لمبی رَسیّاں لیں جو میک موہن کے حفاظتی کوٹ سے بندھی ہوئی تھیں۔ انہیں مضبوطی سے دانتوں میں پکڑ لیا اور خود پَیرنا شروع کیا۔ اس کے ساتھ ہی اس کے پیچھے پیچھے میک موہنؔ بھی بہتا ہوا چل نکلا۔ خود ہاتھ پاؤں مارنے کی اس میں ہمت نہیں تھی۔

اسی طرح تقریباً ایک گھنٹہ گزر گیا۔ اب جیک اپنے ساتھیوں سے آگے آگے پَیر رہا تھا۔ اس کے جوانوں نے لکڑی کے تختے کو اب تک سنبھال رکھا تھا اور اسی کے سہارے وہ بھی پَیر رہے تھے۔ چلتے چلتے یکا یک جیکؔ رک جاتا، دم لیتا یا پھر وہ پانی اُگلتا جو پَیرتے ہوئے اس کے منہ میں چلا جاتا۔ اس کے بعد دوبارہ اس کا یہ عجیب سفر شروع ہو جاتا، اور تو اور کبھی وہ ہانپتے ہوئے میک موہنؔ کی مزاج پُرسی بھی کر لیتا۔

اس طرح یہ ٹولی آہستہ آہستہ جزیرے کی طرف بڑھتی رہی۔ آخر کار تقریباً پانچ گھنٹے تک مسلسل پَیرتے رہنے کے بعد یہ لوگ ساحل سے بہت قریب پہنچ گئے۔ یہاں سمندر میں چٹانیں تھیں۔ جب وہ ان پر سے گزرے تو کئی لوگوں کو چوٹیں آئیں۔ جیکؔ، میک موہنؔ کو سہارا دے کر ان چٹانوں پر سے گزار کر ساحل پر لے آیا جس کی وجہ سے دونوں کے خراشیں آئیں۔ ساحل پر پہنچ کر سب بے دم ہو کر اَوندھے منہ گر پڑے۔ تقریباً پندرہ گھنٹوں تک بپھرے ہوئے سمندر کی لہروں کے تھپیڑے کھانے

کے بعد یہ لوگ خشکی پر پہنچے تھے۔

ان کی خوش قسمتی سے یہ چھوٹا سا جزیرہ واقعی ویران اور اُجاڑ نظر آرہا تھا۔ یہ طوفانوں سے بے حد متاثر لگ رہا تھا۔ جابجا آندھیوں کی تباہ کاریوں کے نشان موجود تھے۔ پی ٹی نمبر 109 سے زندہ بچ نکلنے کے بعد یہ جانباز ہانپتے کانپتے جزیرہ پر پہنچے اور پھر ہاتھوں اور گھٹنوں کے سہارے گھنے جنگل میں سے گزر کر ایک طرف لیٹ گئے۔ تکان سے ان کی آنکھیں خود بخود بند ہوگئیں۔ لیکن جیکؔ نے زیادہ دیر تک آرام نہیں کیا۔ رات ہو رہی تھی۔ سورج غروب ہونے ہی کو تھا۔ کینیڈی نے سوچا۔ اندھیرا ہونے سے پہلے اسے دوبارہ گہرے سمندر میں کچھ دور تک جانا چاہیے تاکہ اگر بڑا جہاز نظر آجائے تو مدد مانگی جائے۔

اس نے اپنے ساتھیوں کو سمجھایا کہ ان کے مرکز کے امریکی سپاہی یقیناً رات کو فرگوسن پیسیج (Ferguson Passage) استعمال کریں گے۔ یہ سمندر کا وہ حصہ تھا جو صرف چند میل پرے ایک دوسرے چھوٹے جزیرے کے قریب تھا۔ اگر وہ کسی طرح اس بحری راستے تک پہنچ جائے اور پَیر تا رہے تو وہ موقع پا کر اپنے ساتھیوں کو مدد کے لئے بلا سکتا ہے۔

جیکؔ نے اپنا ارادہ ظاہر کرنے کے بعد اپنے ساتھیوں کا ردِ عمل معلوم کئے بغیر چپ چاپ سمندر میں چھلانگ لگا دی۔ اس نے اپنی کشتی کا لیمپ لیا جواب تک محفوظ تھا، اور اس کے اور زندہ لوگوں کے درمیان کی ایک کڑی سی صورت رکھتا تھا۔

جب اسے گئے ہوئے خاصی دیر ہوگئی تو اس کے ماتحتین کو اپنے کپتان کی طرف سے تشویش ہوئی۔ خدا معلوم وہ کہاں تھا اور کس حال میں تھا۔ وہ ان خطروں سے اچھی طرح واقف تھے۔ جن کا جیک کو سامنا تھا۔ اس لئے ان کا ذکر تک کرنے کے لئے کوئی تیار نہیں تھا۔ سب خاموش تھے لیکن ان کا اضطراب ظاہر کر رہا تھا کہ ۱۰۰ اپنے

کمانڈر کی طرف سے کسی قدر پریشان ہیں اس کے باوجود ان کے دلوں میں امید کا دِیا ٹمٹمارہا تھا۔ یہ اس بات کا ثبوت تھا کہ جیک نے اپنی بہترین قیادت سے ان کے دل میں اپنے لئے اعتماد پیدا کر لیا تھا۔

سب نے یہ فیصلہ کیا کہ باری باری پہرہ دیں گے اور اس کا انتظار کریں گے۔ کینیڈی نے یہ منصوبہ بنایا تھا کہ اگر اسے کوئی کشتی مل پائے گی تو وہ روشنی کی مدد سے ساحل والوں کے لئے اشارہ کرے گا تا کہ انہیں پتہ چل جائے کہ اس کی کوششیں کامیاب ہوگئی ہیں۔ اس نے ساحل پر اپنے سپاہیوں کو ہدایت دی تھی کہ وہ اس کے اشارے کے جواب میں جوابی اشارہ کریں۔

لیکن سمندر تو بھوکے شیر کی طرح بپھرا ہوا تھا۔ اس کی لہریں جیک کینیڈی کو کچھ اس طرح بہا کر لے گئیں جیسے وہ اسے ساحل سے دور رکھنا چاہتی ہوں۔ آخر مجبور ہو کر اس نے روشنی کی مدد سے اپنے ساتھیوں کو اشارہ کیا اور مدد کے لئے چیخنا شروع کر دیا۔ اس کی چیخیں سن کر وہ لوگ چٹانوں پر سے ہوتے ہوئے سمندر میں پہنچے۔ لیکن کوشش کے باوجود اسے پکڑ نہ سکے اور وہ ان کے قریب سے لہروں پر بہتا ہوا آگے نکل گیا۔

ساری رات جیک سمندر کی لہروں میں پھنسا رہا۔ وہ اسے ایک دائرہ میں لئے پھرتی رہیں۔ اُس بیکراں سمندر میں اس کی حالت لکڑی کے ایک بے جان ٹکڑے کی سی تھی اور سمندر، جاپانی مقبوضہ جزیرے کے قریب سے اسے گزار کر کبھی شمال کی طرف لے گیا اور کبھی مشرق کی طرف۔ یوں لگا جیسے سمندر ایک ایسا شریر بچہ ہو جس کے ہاتھوں میں ایک خوب صورت کھلونا آ گیا ہو۔ جب سمندر کا جی بھر گیا تو اس نے اسے صبح کو آزاد کر دیا۔ اب جو ذرا ہوش آیا تو جیک کو پتہ چلا کہ وہ دوبارہ فرگوسن پیسیج میں ٹھیک اسی جگہ آ گیا ہے جہاں وہ بارہ گھنٹے پہلے تھا۔

ایک بار پھر، دم لینے کے بعد، اس نے ساحل کی طرف پیرنا شروع کر دیا۔

چٹانوں تک پہنچنے کے بعد وہ بڑی احتیاط سے خشکی پر چڑھ گیا۔ اب جو چلنے کی کوشش کی تو اس کے پَیر لہولہان ہو گئے۔ آخر کار وہ جزیرے تک پہنچ گیا۔ رات بھر سمندر کا پانی اس کے پیٹ میں گیا تھا۔ اب جو اس نے سیدھے کھڑے ہو کر چلنے کی کوشش کی تو اس کا سر چکرا گیا اور متلی ہونے لگی۔ وقت کم تھا اور خطرہ ابھی باقی تھا۔ اس لئے اس نے جانوروں کی طرح ہاتھوں اور گھٹنوں کے سہارے رینگنا شروع کر دیا۔ اِسے دیکھتے ہی اس کے ساتھیوں نے خوشی سے نعرہ لگایا اور سب اس کی طرف لپکے۔ انہیں اپنی طرف آتے دیکھ کر جیک نے اطمینان کا سانس لیا اور چُپ چاپ، چِت لیٹ گیا، نظریں اٹھا کر اپنے تھرڈ آفیسر، جارج راس کو دیکھا اور کہا۔

''آج تم کوشش کر دیکھو۔'' اس کے بعد اس نے آنکھیں بند کر لیں اسے یوں محسوس ہو رہا تھا جیسے وہ تاریک گہرائیوں میں ڈوبتا چلا جا رہا ہو، اور پھر کسی قسم کا احساس باقی نہیں رہا۔

اب ذرا جیک کینیڈی کے جنگی مرکز کا حال سنئے جو رینڈوا کے جزیرے میں واقع تھا۔ وہاں لوگوں نے کئی گھنٹوں تک ''پی ٹی نمبر 109 '' کا انتظار کیا لیکن وہ لوگ لوٹ کر نہیں آئے تو انہوں نے کشتی کے تیرہ آدمیوں کو جنگ کی بھینٹ چڑھنے والوں میں شمار کر لیا۔ سچی بات تو یہ تھی کہ اس دن ''پی ٹی نمبر 109 '' کو گشت پر نکلنا ہی نہیں تھا۔ لیکن اسی شام کو جاپانی بمباروں نے جزیرے پر حملہ کر کے کئی دوسری چھوٹی کشتیوں کو نقصان پہنچایا تھا۔ اسی لئے کینیڈی اور اس کے ساتھیوں کو سمندر میں نکلنا پڑا تھا۔

جب وقت گزرتا گیا اور جیک کینیڈی اور اس کے ساتھیوں کا کوئی پتہ نہ چلا تو جنگی مرکز پر افسردگی چھا گئی، اور لوگ جنگی کشتی پی ٹی نمبر 109 کے تیرہ آدمیوں کی روح کو ثواب پہنچانے کے لئے ایک جگہ جمع ہوئے جہاں مذہبی رسوم ادا کی گئیں۔ ان کا خیال تھا کہ سب کے سب جاپانیوں سے کسی جھڑپ میں سمندر کی بھینٹ چڑھ

گئے۔ایک افسر نے کینیڈی کے ایک سپاہی کی والدہ کو خط لکھا اور کہا کہ اس کے بیٹے نے بڑی بہادری سے ایک ایسے مقصد کے لئے جان دی جو بڑا ہی عظیم اور تمام رشتوں سے زیادہ مضبوط تھا۔آگے چل کر اس نے لکھا کہ اس کے بیٹے کے ساتھ ساتھ ایک اور فرزند وطن نے ملک پر اپنے آپ کو قربان کر دیا تھا۔اس کا نام جیک کینیڈی تھا اور یہ اس امریکی کا بیٹا تھا جو برطانیہ میں سفیر رہ چکا تھا۔

غیبی امداد

اور پھر یہ ہوا کہ اچانک جزیرے والوں کی طرف سے انہیں مدد مل گئی۔ اس شام کو راس بھی بالکل اسی طرح پیرتا ہوا فرگوسن پیسیج تک گیا جس طرح ایک رات پہلے کمانڈر کینڈی وہاں پہنچا تھا۔ اس کا مقصد بھی یہ تھا کہ وہاں پہنچنے کے بعد دوسرے پی ٹی جہاز کا انتظار کرے۔ لیکن بدقسمتی سے راس کو بھی مایوسی ہوئی۔

ادھر ساحل پر حالات تیزی سے بگڑ رہے تھے۔ پینے کے پانی کی بڑی کمی تھی اس لئے یہ لوگ بڑی مشکل میں تھے۔ کئی تو پانی کی قلت کی وجہ سے بیمار پڑ گئے تھے۔ اس جزیرے پر نہ تو پانی ہی تھا اور نہ ہی ناریل ہی کے درخت تھے۔ ناریل کا میٹھا پانی ان کی پیاس بجھا سکتا تھا لیکن یہ جزیرہ ان سے بھی محروم تھا۔ ساری رات جیک سردی میں ٹھٹھرتا رہا، اور اسے نیند بالکل نہیں آئی۔ مستقبل کے پریشان کن خیالات اسے ستاتے رہے۔ بیماری نے اسے نڈھال کر دیا تھا۔

صبح کو جب راس مایوس لوٹ آیا تو جیک نے فیصلہ کر لیا کہ اب یہاں سے کوچ کرنا چاہئے اور اپنے تمام ساتھیوں کو لے کر فرگوسن پیسیج سے قریب کے کسی جزیرے کی طرف چلنا چاہئے تا کہ بچ نکلنے کے زیادہ بہتر مواقع مل سکیں۔ اس کے ذہن میں ایک ایسا جزیرہ تھا جو ذرا بڑا بھی تھا اور جس پر اس جزیرے سے زیادہ درخت تھے ایک بار پھر یہ بیمار، کمزور اور مایوس قافلہ ایک نئی منزل کی طرف آگے بڑھا۔ روانگی کی تکنیک

بھی پہلے جیسی ہی تھی۔ آگے آگے کینیڈی تھا اور وہ میک موہن کو اپنی میں گھسیٹتا ہوا پیر رہا تھا۔ بقیہ لوگوں نے بھی ایک بار پھر لکڑی کے تختے کا سہارا لیا تھا اور سب چپ چاپ پیر رہے تھے۔

میک موہن بہت کمزور ہو گیا تھا لیکن اس کے باوجود اب تک زندہ تھا۔ اس کے زخم اسے بڑی تکلیف پہنچا رہے تھے۔ اب تو کینیڈی کی حالت بھی غیر ہو رہی تھی۔ وہ سب سے آگے آگے آہستہ آہستہ پیر رہا تھا اور اس کے چہرے سے لگ رہا تھا۔ جیسے بڑی تکلیف میں ہے۔ چٹانوں نے اس کے پیروں کو لہولہان کر دیا تھا اور سمندر کے پانی نے اس کے پیٹ میں جا کر اس کی حالت اور خراب کر دی تھی۔ وہ پیرتے پیرتے رُکتا اور دم لیتا۔

تین گھنٹوں کے بعد وہ لوگ خیریت سے نئے جزیرے تک پہنچ گئے، اور جب وہ ہاتھوں اور گھٹنوں کے سہارے رینگتے ہوئے آگے بڑھے تو انہیں بہت سے ناریل مل گئے جو اِدھر اُدھر زمین پر پڑے ہوئے تھے۔ یہ لوگ دیوانہ وار ان کی طرف بڑھے اور جلدی سے انہیں کاٹ کاٹ کر ان کا میٹھا پانی پیا۔ لیکن جوں ہی ناریل کا پانی ان کے پیٹ میں پہنچا وہ درد سے تڑپ اٹھے کیونکہ وہ کئی دنوں سے بھوکے تھے اور ان کے پیٹ میں ایک دانہ بھی نہ گیا تھا۔

اس رات مسلسل بارش ہوئی، چھاجوں مینہ برسا۔ ان پیاسوں کے تو بس مزے آگئے۔ وہ رات بھر ایک درخت سے دوسرے تک بھاگتے پھرے اور وہ پانی پیا جو پتوں پر جمع ہو گیا تھا۔ لیکن دلچسپ بات یہ ہوئی کہ اس طرح پینے پر انہیں پانی کا مزہ کچھ عجیب سا لگا۔ صبح ہوئی تو یہ راز کھلا۔ بات یہ تھی کہ یہ جزیرہ خدا جانے کب سے غیر آباد پڑا تھا اور برسہا برس سے سینکڑوں کی تعداد میں پرند یہاں اڑ کر آتے اور بسیرا کرتے۔ چنانچہ یہاں کے درختوں کے تمام پتوں پر ان کی بیٹ جم چکی تھی۔ اب جو

انہیں اُبکائیاں آئیں تو کچھ نہ پوچھئے۔ ہنستے ہوئے ان لوگوں نے اس جزیرہ کا نام ''چڑیوں کا جزیرہ'' (Bird Island) رکھا۔

اسی طرح چار دن گزر گئے ____ مہذب دنیا اور امریکی فوجی اڈّوں سے بچھڑے ہوئے چار پریشان کن دن۔ ادھر امریکیوں نے بھی یہی یقین کر لیا کہ پی ٹی نمبر 109 کا عملہ جنگ کا شکار ہو گیا۔ ادھر جزیرے میں بھی سب مایوسیوں کا شکار تھے۔ یہاں سے زندہ بچ نکلنے کی امید بھی دَم توڑ رہی تھی۔ اب تک نہ امریکی کشتیوں ہی کا نام و نشان تھا اور نہ ان کے جنگی ہوائی جہاز اس طرف آئے تھے۔ ایک جاپانی جہاز کئی بار آہستہ آہستہ جزیرے کے قریب سے گزر چکا تھا، اس بات سے بے خبر کہ وہاں درختوں کے جھنڈ میں امریکی چھپے بیٹھے تھے۔ اکثر جاپانی ہوائی جہاز بھی اوپر سے اُڑتے ہوئے گزر جاتے لیکن گھنے درختوں کی وجہ سے جیک اور اس کے ساتھی اب تک محفوظ تھے۔

''لیکن کب تک؟'' یہی ایک سوال تھا جو جیکؔ کو ستا رہا تھا۔ اس کا ذہن برابر کام کر رہا تھا۔ وہ ایک اور جزیرے کے بارے میں سوچ رہا تھا۔ جس کا نام ''نورو'' (Nauru) تھا، اور یہاں سے بہت قریب تھا۔ آخر اس نے فیصلہ کر لیا کہ وہ تیر کر ''نورو'' تک پہنچنے کی کوشش کرے گا۔ اس کی نظر میں بچ نکلنے کی آخری صورت یہ تھی کہ کسی نہ کسی طرح وہ فرگوسن پیسیج کے قریب پہنچ جائیں اور پھر موقع پا کر امریکی کشتیوں کی توجہ اپنی طرف مبذول کرانے کی کوشش کریں۔

''نورو'' کا جزیرہ تقریباً آدھ میل دور تھا۔ جیک نے اپنے ساتھ راسؔ کو لیا اور چپکے سے سمندر میں جا اُترا۔ دونوں کے پیر اب بھی زخموں سے چور تھے۔ اس لئے سمندر میں ہاتھ پیر مارتے ہوئے بڑی تکلیف ہوتی تھی۔ بہرحال وہ بہت آہستہ آہستہ آگے بڑھے اور تقریباً سوا گھنٹے میں اپنی منزل تک جا پہنچے۔ یہاں بھی ساحل پر

نوکیلی چٹانیں تھیں۔ جن کی وجہ سے ان کے پَیر ایک بار پھر لہولہان ہو گئے۔ بڑی مشکل سے انہوں نے یہ چٹانیں بھی پار کیں اور جزیرہ میں جا پہنچے۔ یوں تو جزیرہ ویران نظر آ رہا تھا لیکن انہیں کسی بھی لمحہ جاپانیوں سے مڈبھیڑ ہونے کا اندیشہ تھا۔

دونوں کے ذہن میں عجیب عجیب سے خیالات آ رہے تھے۔ دونوں بھوک سے بیحد نڈھال تھے۔ موت تو ہر حال میں یقینی معلوم ہو رہی تھی۔ بھوک سے نہیں تو جاپانی سپاہیوں کے ہاتھوں۔ ہر قدم جو اٹھ رہا تھا وہ بڑا ہی تکلیف دہ تھا۔

تھوڑی ہی دیر کے بعد ایک بار پھر امید کا دِیا جل اٹھا۔ وہاں جاپانیوں کی جگہ انہیں دشمن کی ایک کشتی ملی جو کئی جگہ سے ٹوٹ پھوٹ گئی تھی۔ شاید اسی لئے وہ اسے ناکارہ سمجھ کر یہیں چھوڑ گئے تھے۔ جیک اور راس نے بڑے غور سے اس کی تلاشی لی تو انہیں تھوڑا سا پانی اور کھانا مل گیا۔ روٹی خشک ہو چکی تھی۔ پھر بھی دونوں نے اس سے پیٹ بھرا کیونکہ پی ٹی نمبر 109 کی تباہی کے بعد یہ پہلی غذا تھی جو انہیں ملی۔

جب رات ہو گئی تو دونوں ایک بار پھر ساحل پر گئے اور امریکی کشتیوں کے انتظار میں رات گزار دی۔ لیکن ان کی امید نہ بر آئی۔ انہیں یوں لگا جیسے امریکی کشتیوں نے اس طرف کا رُخ کرنا چھوڑ دیا ہو۔

دوسرے دن جیک نے پورے جزیرے کا یہ دیکھنے کے لئے یہاں کیا کچھ تھا، تفصیلی جائزہ لیا۔ ایک گوشے میں اسے ایک چھوٹی سی کشتی ملی۔ عموماً ایسی کشتیاں جزیرے والے چلایا کرتے ہیں اور اس میں ایک وقت میں صرف چند آدمی بیٹھ سکتے ہیں۔ اسے جس طرح گھنے جنگل میں چھپا کر رکھا گیا تھا۔ اس سے واضح تھا کہ یہاں والوں نے جاپانیوں کے ڈر سے ایسا کیا تھا۔ کشتی پا کر اسے بے انتہا خوشی ہوئی اور اس نے اسے رات کی تاریکی میں استعمال بھی کیا۔ رات کو وہ تن تنہا پیسیج کے قریب گیا پھر بھی اسے مایوسی ہوئی۔

تھکا ہارا وہ واپس لوٹ گیا۔ وہاں اس کے ساتھی درختوں کے نیچے چھپے بیٹھے اس کے منتظر تھے۔ اس نے انہیں تازہ پانی اور کشتی سے حاصل شدہ کھانا دیا جو مقدار میں بہت کم تھا۔

''نورو'' جاتے ہوئے قسمت نے ایک بار پھر اس کے ساتھ مذاق کیا۔ یکا یک موسلا دھار بارش شروع ہوگئی۔ بارش کا پانی اس کی چھوٹی سی کشتی میں بھر گیا اور وہ سمندر میں اُلٹ گئی۔ خوش قسمتی سے عین اس وقت قریب کے کسی جزیرے کے باشندے اپنی کشتیوں میں وہاں آگئے اور انہوں نے اس بہادر سفید فام نوجوان کو دیکھا جو سمندر کی لہروں کا مقابلہ کرتے ہوئے تیرنے کی کوشش کر رہا تھا۔ وہ تیزی سے اس کی مدد کو پہنچ گئے اور اپنی کشتی میں جیک کو ''نورو'' پہنچا دیا۔ راس ساحل پر چھپا بیٹھا تھا۔ اس نے جیک کو جزیرے والوں کے ساتھ زندہ سلامت دیکھا تو اطمینان کا سانس لیا۔

اسے راس کے حوالے کر کے جزیرے والے بھی ساحل پر آ گئے۔ خاصی دیر تک جیک اور راس نے ان سے گفتگو کی کوشش کی لیکن بات نہیں بنی کیونکہ دونوں ایک دوسرے کی زبان نہیں سمجھتے تھے۔ اشاروں سے بھی کام نہ چلا۔ آخر اکتا کر جیک اور راس نے بار بار اپنے جنگی مرکز والے جزیرے ''رینڈوا'' کا نام دہرایا۔ پھر رینڈوا۔ رینڈوا کے ساتھ ساتھ اپنی طرف اشارہ کرتے ہوئے کئی بار ''امریکی، امریکی، امریکی۔'' کہا۔ لیکن ان لوگوں کی سمجھ میں کچھ نہ آیا۔

آخر کار کینیڈی نے ایک ناریل لیا اور اس پر لکھا ___ ''میں زندہ ہوں، دس ساتھی بھی زندہ ہیں۔ جزیرے والے رہبری کر سکتے ہیں ___ نورو کا جزیرہ ___ کینیڈی۔''

یہ ناریل اس نے ایک شخص کے حوالے کر دیا۔ اس کے چہرے سے پہلی بار لگا

جیسے اس کی سمجھ میں آ گیا ہو کہ اس کو کیا کرنا ہے۔ اس نے اپنی زبان میں اپنے ساتھیوں کو بھی کچھ سمجھایا اور پھر مسکرا کر اشارے سے ساتھ آنے کے لئے کہا اور درختوں کے ایک جھنڈ کی طرف لے گیا۔ وہاں ایک بڑی کشتی تھی جو نہ جانے کب سے یہاں چھپی پڑی تھی۔ اس کے بعد وہ لوگ اپنی کشتیوں میں بیٹھ کر چلے گئے۔ ان کے جانے کے بعد کئی دنوں کے بعد پہلی بار جیک کینیڈی اور راس نے اطمینان کا سانس لیا اور چین کی نیند سوئے۔

سارا دن دونوں ساحل پر لیٹے رہے۔ شام ہوتے ہوتے دونوں نے فیصلہ کیا کہ ایک بار پھر امریکی بحریہ سے رابطہ قائم کرنے کی کوشش کرنی چاہئے۔ اندھیرا ہوا تو دونوں اس نئی بڑی کشتی تک گئے جسے جزیرے والوں نے چھپا رکھا تھا۔ اس میں سوار ہو کر یہ لوگ فرگوسن پیسیج تک گئے۔ یکایک موسم بدلا، تیز ہوا چلنے لگی اور پھر ان کی کشتی موسلا دھار بارش میں پھنس گئی۔ سمندر کی لہریں کچھ اس حد تک بپھر گئیں کہ ان کی کشتی کو اُلٹ دیا۔ پچھلے چند دنوں میں تیسری بار جیک نے اپنے آپ کو سمندر میں پایا اور ایک بار پھر پانی میں ہاتھ پاؤں مارتے ہوئے اس نے اپنی جان بچانے کی کوشش کی۔

تقریباً دو گھنٹے تک یہ دونوں امریکی اپنی جان بچانے کی کوشش کرتے رہے۔ سمندر کی لہریں انہیں اپنی راہ بہا کر لے جانے کی کوشش کرتی رہیں لیکن دونوں کی کوشش یہ تھی کہ کسی نہ کسی طرح دوبارہ بچ نکلیں اور نورو تک جا پہنچیں۔ اندھیرے میں راستہ سجھائی نہیں دیتا تھا اس لئے دونوں خاصے پریشان تھے۔ آخر کار انہیں چٹانیں نظر آئیں۔ جس سے ٹکرا کر سمندر کی موجیں خاصا شور مچا رہی تھیں۔ یہ بڑا ہی خطرناک مرحلہ تھا۔ کیونکہ کسی بھی وقت لہریں انہیں اُچھال کر چٹانوں پر پھینک سکتی تھیں۔ بڑی مشکل سے جیک نے اپنے آپ کو لہروں کے خطرناک شکنجے سے آزاد کیا اور ساحل تک جا پہنچا۔ لیکن بے چارے راس کے ساتھ یہ نہیں ہوا۔ اسے سمندر کی

لہروں نے ریتیلے ساحل کے بجائے چٹانوں تک پہنچا دیا جس کی وجہ سے اس کے ہاتھ اور کندھے بُری طرح سے زخمی ہو گئے۔ دونوں تھکے ہارے ساحل تک پہنچے اور درختوں کے سائے میں بے ہوش ہو گئے۔

رات بھر اس سے لاعلم کہ ان کے دکھ اور پریشانیوں کے دن ختم ہونے والے تھے، وہ دنیا و مافیہا سے بے خبر سوتے رہے۔ صبح کو آہٹ سے آنکھ کھلی تو انہوں نے دیکھا چار جزیرے والے لوٹ آئے تھے اور ان کے قریب کھڑے، دوستانہ مسکراہٹ لئے انہیں غور سے دیکھ رہے تھے۔ ان میں سے ایک نے صاف انگریزی میں کہا۔

''میں آپ کے لئے ایک خط لایا ہوں!''

یہ سنتے ہی کینیڈی خوشی سے اٹھ بیٹھا اور اس نے جلدی سے لفافہ لے کر کھولا۔ اس میں یہ لکھا تھا:

''نوروجزیرے کے کمانڈنگ آفیسر کے نام ______!

میں نیوزی لینڈ کے سپاہیوں کے ایک گروپ کا کمانڈر ہوں۔ یہ پیدل فوج نیوجارجیا کے جزیرے میں مقیم ہے۔ آپ ان لوگوں کے ساتھ میرے پاس چلے آیئے۔ صرف تنہا آیئے۔ اس دوران میں، میں آپ کے گروپ کے ساتھ ریندوا کے جزیرے سے رابطہ قائم کرنے کی کوشش کروں گا۔ آپ آجائیں تو پھر ہم سب مل کر آپ کے دوسرے ساتھیوں کو حفاظت سے نکال لانے کی کوشش کریں گے۔''

کمک بالکل صحیح وقت پر آئی تھی۔ راس کا زخمی بازو پھول کر کپّا ہو گیا تھا اور اس کی ٹانگ کے برابر موٹا ہو گیا تھا۔

اسی طرح میک موہن کی حالت بھی نازک تھی۔ زخموں کی وجہ سے وہ بالکل ہی ناکارہ ہو گیا تھا اور یوں لگتا تھا کہ اگر انہیں جلدی ہی طبی امداد نہ ملی تو یہ زندہ نہ رہ سکیں گے۔

خط پڑھتے ہی جیک فوراً جزیرے والوں کی کشتی میں جا بیٹھا۔ ان لوگوں نے

اسے کشتی میں لٹا دیا اور پھر درختوں کے بہت سے پتوں سے اسے ڈھک دیا تا کہ جاپانی ہوائی جہاز اسے نہ دیکھ سکیں۔ اب یہ کشتی نیو جارجیا کے جزیرے کی طرف روانہ ہوئی جو یہاں سے خاصا دور تھا۔

اس رات کو آخر کار جیک کینیڈی نے ایک امریکی پی ٹی کشتی سے رابطہ قائم کرلیا۔ پہلے اس نے سمندر میں گولیوں کے چار دھماکے سنے جس کے جواب میں اس نے بھی چار بار گولیاں چلائیں۔ اس کے ساتھ ہی ایک طرف سے امریکی پی ٹی کشتی نمودار ہوئی اور جیک کی کشتی کے قریب آ گئی اور اسے سہارا دے کر امریکی کشتی میں منتقل کر دیا گیا۔

اس واقعہ کے چند ہی گھنٹے بعد جزیرے والوں کی رہبری میں، امریکی پی ٹی کشتی، خطرناک سمندری راستے اور چٹانوں سے بچتی بچاتی برڈ آئی لینڈ تک پہنچی جہاں سے کینیڈی نے اپنے باقی ساتھیوں کو بھی اپنے ساتھ لیا اور اس طرح ان کے پریشان کن شب و روز ختم ہوئے۔

واپسی میں جیک کچھ اس قدر تھک گیا تھا کہ وہ چپ چاپ ایک طرف لیٹ گیا۔ سامنے اس کا ایک ساتھی جزیرے والوں کے ساتھ بیٹھا تھا۔ ان دونوں مقامی باشندوں نے گرجا کے اسکول میں تعلیم حاصل کی تھی۔ اب وہ امریکی فوجی کے قریب بیٹھے تھے اور خوشی سے وہ مذہبی گیت گا رہے تھے۔ جو انہوں نے بچپن میں پادری سے سیکھا تھا۔ ان کا بچپن اور پھر جوانی ایک دوسرے سے دس ہزار میل دور گزری تھی، اس کے باوجود اس وقت وہ کچھ اس طرح اپنائیت کے ساتھ گا رہے تھے جیسے ان کی ساری زندگی ایک ساتھ، ایک ہی مقام پر گزری ہو۔

ان دنوں میں جب جیک کینڈی کو بچا لیا گیا تھا، زندگی کینیڈی خاندان کے ساتھ ایک اور کھیل، کھیل رہی تھی۔ اسی زمانے میں انہیں بحریہ نے اطلاع دی کہ جنگ میں جان فٹز جیرالڈ کینیڈی جان بحق ہو گیا۔

کینیڈی اور اس کے ساتھی جب رینڈوا پہنچے تو ان کا دیوانہ وار گرم جوشی سے استقبال کیا گیا۔ دیکھتے ہی دیکھتے جیک کے کارنامے، اس کی بہادری اور استقلال کی کہانیاں دور دور تک پھیل گئیں۔ اپنی خدمات اور بہادری کے سلسلہ میں اسے حکومت اور بحریہ کی طرف سے کئی اعزاز ملے جو اس بات کا اعتراف تھے کہ اس نے اتنی بہت سی جانوں کو موت کے منہ سے بچا کر قیادت اور شجاعت کی ایک مثال قائم کر دی۔

جیک کے بقیہ دن اس کے لئے پریشان کن ثابت ہوئے۔ جب اس کے فرائض کا پہلا دور ختم ہو گیا تو اس نے امریکہ لوٹ جانے کے بجائے دوبارہ جنوبی بحرالکاہل میں رہنا پسند کیا۔ اس فیصلہ کی وجہ سے ایک بار پھر وہ جنگ میں شریک ہوا۔ اب اس کی صحت پہلے جیسی نہیں تھی اور وہ جلد بیمار پڑ گیا۔ اس کا وزن تیزی سے گھٹنے لگا۔ اسے دیکھ کر یوں لگتا تھا جیسے وہ برسوں سے بیمار ہو اور اسے معقول خوراک بھی نہ ملتی ہو۔ اس سے زیادہ پریشان کن بات یہ تھی کہ اس کی پیٹھ کا زخم اب دوبارہ اُسے بہت تکلیف دینے لگا۔ آپ کو یاد ہوگا کہ جب جاپانی جہاز نے اس کی پی ٹی کشتی کے پرخچے اڑا دیئے تھے تو جیک کینیڈی کی پیٹھ زخمی ہو گئی تھی۔

آخرکار 1943ء کے آخر میں کینیڈی اور اس کے ساتھیوں کو امریکہ میں فرائض بجالانے کے لئے وطن واپس بھیج دیا گیا۔ اب وقت آ گیا تھا کہ جان ایف کینیڈی کے زخموں کا معقول علاج ہوتا۔ بحریہ کے ڈاکٹروں نے اسے اس تکلیف سے نجات دلانے کے لئے اس کا آپریشن کیا، لیکن اس میں انہیں مکمل کامیابی نہیں ہوئی اور کینیڈی کو ایک طویل مدت بستر پر ہی گزارنی پڑی۔ اسے صحت یاب ہونے میں خاصا وقت لگ گیا۔

جوٓ کی موت

1944ء کے شروع کے مہینے بھی جیک نے بستر ہی پر گزارے۔اب کے اس کی نگہداشت پر ملک کے بہترین ڈاکٹر مامور تھے۔اگست کے مہینے میں دل کو ہلا دینے والی یہ خبر اسے ملی کہ یورپ کی فضاؤں میں جنگ کرتے ہوئے اس کا بڑا بھائی جوٓ جونیئر مارا گیا۔اب کے انہیں بحریہ کی طرف سے اطلاع ملی کہ جوٓ ایک جنگی معرکے میں مارا گیا تھا۔اس خبر نے پورے کینیڈی خاندان کو سوگوار کر دیا۔

1940ء میں نوعمر جوٓ نے بھی جنگ کے بارے میں اپنے باپ ہی کے سے خیالات کا اظہار کیا تھا۔اس نے کہا تھا کہ امریکہ کو جنگ میں شریک نہیں ہونا چاہیے، لیکن ساتھ ہی اس کا یہ ایمان تھا کہ امریکہ کو ہر حالت میں جنگ کے لئے تیار رہنا چاہیے۔تا کہ اگر اس پر جنگ مسلط کر دی جائے تو وہ حالات کا کامیابی سے مقابلہ کر سکے۔1941ء کے آخر میں جاپانیوں نے پرل ہاربر پر حملہ کیا۔ان کی بمباری کے فوراً بعد جوٓ امریکہ بحریہ میں بھرتی ہو گیا۔دو سال کے اندر اندر اس نے بڑا نام کمایا۔بحر اوقیانوس میں دشمن کی آبدوز کشتیاں اتحادیوں کے لئے ایک بڑا خطرہ تھیں۔ان کی تلاش اور تباہی میں جوٓ نے بڑی خدمات انجام دیں۔اسے دو سال کے مختصر سے وقفے میں ایک بہترین ہوا باز قرار دیا گیا۔وہ مسلسل خلیج بسکے (Bay of Biscay) پر پرواز کرتا، فرانس کے ساحل پر سے گزرتا اور دشمن کے جہازوں کو تاک کر حملہ کرتا۔

جو نے بھی اپنے جنگی فرائض کی ایک میعاد پوری کر لی تھی۔ اس کے بعد جس طرح جیک نے بحرالکاہل میں اپنی میعاد میں اضافہ کرایا، اسی طرح جو نے بھی اپنے جنگی فرائض کو جاری رکھا۔ آخر کار اس کی دوسری میعاد بھی ختم ہو گئی۔ وہ وطن لوٹ جانے کی تیاریاں کر رہا تھا کہ اسے اتحادیوں کے ایک بڑے اہم منصوبے کی اطلاع ملی۔ اسے عملی جامہ پہنانے کے لئے انہیں ایک تجربہ کار جیالے ہوا باز کی خدمات کی ضرورت تھی۔ جو نے اس کے لئے اپنے آپ کو پیش کر دیا۔

اس منصوبے سے بہت کم لوگ واقف تھے۔ اس کا نام پروجیکٹ اینویل (Project Anvil) تھا۔ اس کا مقصد ایک نہایت خطرناک اور نئے جرمن بم کی تباہی تھا۔ اس کا نام وی نمبر 2 راکٹ تھا اور یہ اپنی ہی قوت کے سہارے سفر کرتا ہوا ٹھکانے پر حملہ کر سکتا تھا۔

اس نئے راکٹ کے خلاف تحفظ کی کوئی صورت نہیں تھی۔ اس کی وجہ یہ تھی کہ یہ بہت اونچا اڑتا ہوا آتا تھا اور اس کی رفتار بھی بہت زیادہ تیز تھی۔ وہ اتنی برق رفتاری سے انگلستان پر نمودار ہوتا اور پلک جھپکتے، بغیر کسی اطلاع کے بلائے ناگہانی کی طرح حملہ کرتا کہ پورے کے پورے محلے تباہ ہو جاتے۔ جب تک ان کا خطرہ باقی تھا، انگریزوں کی نیند اُڑ گئی تھی۔ کیوں کہ ان کی مدد سے جرمن کسی بھی وقت حملہ کر سکتے تھے۔

ان راکٹوں سے چھٹکارا حاصل کرنے کی ایک ہی صورت تھی وہ یہ کہ کسی نہ کسی طرح ان مرکزوں کو تباہ کر دیا جائے جہاں سے یہ راکٹ چھوڑے جاتے تھے۔ یہ آسان نہیں تھا کیونکہ ان کے مرکز نارمنڈی میں تھے جو شمالی فرانس ہے۔ یہ مرکز اتنے مضبوط اور محفوظ تھے کہ عام قسم کے بم ان کا کچھ نہیں بگاڑ سکتے تھے۔

''پروجیکٹ اینویل'' دراصل ایک نئے ہوائی جہاز کا نام تھا جس کی بہت دور سے رہبری کی جا سکتی تھی۔ جوں ہی یہ جہاز ہوا میں بلند ہوتا، اس کے چلانے والے

دونوں ہوابازوں کے لئے ضروری تھا کہ وہ اس میں سے پیراشوٹ کی مدد سے چھلانگ لگادیں۔ اس کے بعد یہ خودکار ہوائی جہاز آپ ہی آپ راکٹوں کے مرکز پر حملہ کرتا اور اسے تباہ کر دیتا۔

جوؔ نے اس نئے جہاز کے خاص ہواباز کی ذمہ داری سنبھالی تھی۔ اُس دن ان کی پرواز کی ابتداء کامیابی سے ہوئی۔ جہاز ہوا میں بلند ہوا اور پھر فرانسیسی ساحل کی طرف روانہ ہوا۔ اس کے بعد جو کچھ ہوا اس کی نہ اُس زمانے میں اور نہ اس کے بعد کبھی وضاحت ہو سکی۔ اس سے پیشتر کہ جوؔ یا اس کا شریک ہواباز اس میں سے چھلانگ لگا کر باہر نکل آتے، ایک دھماکا ہوا، جہاز کے پرخچے اُڑ گئے اور اس کے ساتھ ہی دونوں امریکی ہواباز جاں بحق ہو گئے۔

مرنے کے بعد امریکی بحریہ نے بہت سے اعزازات کے ساتھ جوؔ کو مردہ قرار دیا۔ بہت دنوں کے بعد امریکی بحریہ نے ایک جنگی جہاز کو بھی جوؔ کا نام دیا ——— ''یوایس ایس جوزف پی کینیڈی جونیئر۔''

بڑے بھائی کی اچانک موت سے جیکؔ کو بہت صدمہ پہنچا۔ جوؔ سے اسے بڑی محبت تھی اور بچپن میں ان کی بے شمار لڑائیاں ہوتی تھیں۔ جوؔ نے ہی اسے زندگی کی کشمکش میں ہر قدم پر مقابلہ کرنا سکھایا تھا۔ دونوں ایک دوسرے سے بے حد قریب تھے، اس کے باوجود دونوں میں ہر وقت مقابلہ ہوتا رہتا۔ دونوں کی طبیعتیں مختلف تھیں۔ پھر بھی انہیں ایک دوسرے سے بڑا گہرا لگاؤ تھا۔ بستر پر لیٹے ہی لیٹے جیکؔ نے سوچا ___ اب اسے تنہا غور و فکر کرنا ہوگا۔ بڑے بھائی کی رفاقت سے محروم ہو کر اُسے اپنی راہ آپ ڈھونڈھ نکالنی ہوگی۔ وہ بھائی جس پر اسے اتنا ناز تھا اب مر چکا تھا۔ اب اسے تنہا زندگی کا سفر طے کرنا تھا۔

بہت دنوں کے بعد جیکؔ کینیڈی نے اپنے بھائی کے بارے میں ایک

کتاب میں بہت لکھا۔اس کتاب کا نام ہے ________ ''ایز وی ریمیمبر جو (As we Remember Joe)اس نے لکھا ________ ''میں سوچتا ہوں کہ اگر کینیڈی خاندان کے بچوں کچھ حاصل کیا ہے یا کسی قسم کی اہمیت حاصل کی ہے تو یہ سب اس لئے ہے کہ جو نے انہیں راہ سجھائی تھی۔اس کی وجہ جو کا اندازِ زیست، اس کی زندگی اور اس کا عمل ہے۔''

یہ ایک بہت ہی اچھی کتاب ہے جس میں پورے کنبے کی طرف سے اس کے ایک اہم رکن کی خدمت میں اس کے چھوٹے بھائی نے خراجِ عقیدت و تحسین پیش کیا ہے۔

اسی خاندان کے دوسرے فرد جس نے جنگ کی چوٹ کھائی، کیتھلین تھی۔جس کی عمر اس زمانے میں تیئس سال تھی۔وہ بے حد خوب صورت تھی اور جنگ کے زمانے میں ایک رپورٹر کی حیثیت سے واشنگٹن میں کام کررہی تھی کہ اس نے یکایک ریڈ کراس میں شرکت کا فیصلہ کرلیا۔وہ اس سے پہلے بھی انگلستان میں رہ چکی تھی، اس لئے اسے لندن بھیج دیا گیا۔وہاں ایک اچھے نوجوان سے اس کی ملاقات ہوئی۔اس کا نام جان رابرٹ کیونڈش تھا۔دونوں کو ایک دوسرے سے محبت ہوگئی۔

اس کے بعد کیتھلین نے ریڈ کراس کو صرف اس لئے خیر باد کہا کہ وہ اپنے ہونے والے شوہر کی سیاسی تحریک میں اس کا ہاتھ بٹانا چاہتی تھی۔اس کا ہونے والا شوہر انتخابات میں حصہ لینے کی تیاریاں کررہا تھا۔بدقسمتی سے اسے کامیابی نہیں ہوئی۔اس ناکامی کے وقت کیتھلین اس کے پہلو میں تھی۔اس واقعہ کے چند مہینوں کے بعد ان کی شادی ہوگئی۔

حالات بڑے خوشگوار نظر آرہے تھے کہ ایک بار پھر جنگ کی تباہ کاریاں ان پر اثر انداز ہوئیں۔کیتھلین اور ولیم ایک ساتھ لندن میں مہینہ بھر ہی رہ سکے تھے کہ ولیم کو جنگی فرائض کی ادائیگی کے سلسلے میں فرانس جانا پڑا۔کیتھلین امریکہ لوٹ گئی۔اس کا ارادہ جنگ کا بقیہ زمانہ اپنے والدین کے ساتھ گزارنے کا تھا۔لیکن جو کی موت کے

صرف تین ہفتے بعد، دس ستمبر کو انہیں برطانوی فوجی کمان کی طرف سے اطلاع ملی کہ ایک معرکے میں ولیم مارا گیا تھا۔ وہ پیدل فوج کے ایک جتھے کے ساتھ آگے بڑھ رہا تھا کہ موت نے آن دبوچا۔

چار سال کے بعد کیتھلین بھی جان بحق ہوئی۔ جنوبی فرانس پر، پرواز کرتے ہوئے اس کا چھوٹا سا ہوائی جہاز گر کر تباہ ہو گیا۔

جیک ابھی بڑے بھائی کے غم میں مبتلا تھا کہ اسے اپنے بہنوئی کی اچانک موت کی خبر ملی۔ اس سے وہ بے حد اداس ہو گیا۔ دوسرے بہت سے امریکی خاندانوں کی طرح کینیڈی خاندان نے بھی جنگ میں بہت سے غم جھیلے۔ جنگ کے خاتمے کے آثار نظر آ رہے تھے۔ لیکن اس سے پہلے ہی جو مر چکا تھا، کیتھلین کا نوبیاہتا شوہر مر چکا تھا اور جیک موت کے منہ میں جا کر لوٹ آیا تھا اور اب جنگ ہی کے زخموں سے نڈھال مایوس اور لاغر ہو گیا تھا۔

یہ حالت زیادہ دنوں تک نہیں رہی۔ آہستہ آہستہ جیک کی طاقت لوٹ آئی لیکن بیمار وہ اب بھی تھا، اور ڈاکٹروں کے مشورے پر اس نے ''بریس'' (Brace) پہننا شروع کر دیا تھا، جو اس کی کمر اور پیٹھ کو سہارا دے کر اسے سیدھا چلنے میں مدد دیتے۔ یہ ''بریس'' اس کے لباس کا ایک حصہ تھے۔ ایک دن ایک دبلے پتلے نوجوان نے امریکی بحریہ کو بڑی خاموشی سے خدا حافظ کہا۔ وہ جسمانی اور روحانی دونوں طور پر مجروح تھا۔ اس کی ذمہ دار ایک ہولناک تباہ کن جنگ تھی جس نے پچھلی تمام جنگوں سے زیادہ انسانیت کو مجروح کیا تھا اور دنیا کو ناقابلِ تلافی نقصان پہنچایا تھا۔ ایسی تباہی کی مثال تاریخ میں مشکل ہی سے ملتی ہے۔

حصہ سوم

امن اور سیاست

سیاست

جنگ ختم ہو رہی تھی۔ 1945ء کی ابتداء تھی اور جرمن فوجوں کو بڑی تیزی سے دو محاذوں پر پیچھے دھکیلا جا رہا تھا۔ اسی طرح جاپانی یکے بعد دیگرے جنوبی بحرالکاہل میں کئی جزیرے خالی کرنے پر مجبور ہو رہے تھے۔ ان کے جنگی منصوبے بری طرح ناکام ہو رہے تھے۔ جنگ کے زخموں سے چور دنیا نے آہستہ آہستہ، بڑے احتیاط سے مستقبل اور امن کی طرف دیکھا۔

جیک کینیڈی نے بھی دور افق پر ایک پُر امن مستقبل کی جھلک دیکھی۔ اس کے ذہن میں ایک ہی سوال تھا۔ اب اسے کیا کرنا چاہیے؟ جیک کی عمر اب اٹھائیس سال تھی اور وہ خوش شکل تھا۔ اس نے جنگ میں بڑی بہادری کا ثبوت دیا تھا اور اب وہ تقریباً دس لاکھ ڈالر کا مالک تھا۔ دوسری طرف اس کی پیٹھ میں اب بھی دکھن باقی تھی، اور وہ ہلکے قسم کے بریس یعنی خاص قسم کے تسمے پہننے پر مجبور تھا۔ وہ اب ملازم بھی نہ تھا۔ ان حالات میں کسی دوسرے کے لئے یہ باتیں پریشان کن ہو سکتی تھیں۔ لیکن جو دس لاکھ ڈالر کا مالک ہو اسے بھلا یہ کام کاج کی فکر کرنے کی کیا ضرورت؟

لیکن بے فکری اور کھلنڈرے پن کی زندگی جیک کا آدرش نہیں تھی وہ بڑا سنجیدہ نوجوان تھا۔ اس کا خاندان، امریکہ کے بعض دوسرے بڑے دولت مند خاندانوں سے مختلف نہ تھا۔ ــــــ مثلاً روز ویلٹ یا روکفیلر کے خاندان۔ ان سب کا نظریہ، یہ

تھا کہ کھیل کود اور تفریح ہی زندگی کا مقصد نہیں ہے۔ کینیڈی خاندان کے افراد کو تو تفریح اسی وقت پسند تھی جب یہ انتھک محنت کے ساتھ ساتھ میسر ہو۔ اُن دنوں میں جیک نے مستقبل کے بارے میں سوچتے ہوئے اپنے لئے وہ راہ ڈھونڈھ نکالنے کی کوشش کی۔ جو محنت اور دوسروں کی خدمت کی منزل تک لے جاتی ہو۔

اس نے سوچا۔ وہ کون سا کام تھا جو وہ سب سے زیادہ اچھی طرح کر سکتا تھا؟ بہت غور کے بعد اس نے محسوس کیا کہ اسے الفاظ کا بہت اچھا استعمال آتا ہے۔ وہ قلم کے ذریعے اپنے خیالات کی ترجمانی بھی اچھی طرح کر سکتا ہے۔ چنانچہ اس نے یہ معلوم کرنے کا فیصلہ کیا کہ وہ ادیب بن سکتا ہے یا نہیں۔ اس ارادے سے امکانات کا جائزہ لینے کے لئے وہ نیویارک گیا اور وہاں کی ایک بین الاقوامی خبر رساں ایجنسی میں نامہ نگار بن گیا۔

جلد ہی اسے سان فرانسسکو بھیجا گیا جہاں ایک نیا بین الاقوامی ادارہ عالم وجود میں آ رہا تھا۔ اس ادارہ کا مقصد عالمی امن کا قیام اور اس کا استحکام تھا۔ ساری دنیا کی نگاہیں سان فرانسسکو پر تھیں۔ اس نئے ادارے کے سامنے جو سب سے اہم سوال تھا وہ یہ تھا کہ کیا انسان مستقبل میں اپنے آپ کو جنگوں سے محفوظ سمجھ سکے گا؟ کیا وہ واقعی محفوظ بھی تھا؟ دنیا کے وہ ملک جو عالمی جنگ سے بُری طرح متاثر ہوئے تھے سب صدق دل سے دعا کر رہے تھے کہ اس ادارے کے اجلاس میں شرکت کرنے والوں میں سمجھوتہ ہو جائے اور وہ اس بات پر متفق ہو جائیں کہ جنگ بڑی لعنت ہے اور اسے ہمیشہ کے لئے ختم کر دینا چاہیے۔

نوعمر جیک کینیڈی اقوام متحدہ کے اس اجلاس کے بارے میں لکھتے ہوئے کچھ زیادہ پُر امید نہیں تھا کیونکہ اسے یقین نہیں تھا کہ یہ کوششیں کامیاب ہوں گی۔ اس کے سوچ بچار کا انداز بہت واضح تھا۔ اس نے بڑے غیر مبہم الفاظ میں لکھا کہ یہ اجلاس اسی

وقت کامیاب ہوسکتا ہے جب اس میں شریک ہونے والی تین بڑی طاقتوں میں سمجھوتہ ہو جائے۔ یہ طاقتیں تھیں امریکہ، انگلستان اور فرانس۔ ایک مرحلہ اور بھی تو تھا۔ اگر ان تین طاقتوں میں سمجھوتہ ہو بھی جاتا تو بھی اشتراکی طاقتوں سے یا یوں سمجھئے طاقت سے نپٹنا پڑتا۔

اس کے بعد جیک نے یورپ کا مختصر سا سفر کیا۔ وہاں سے اس نے انگلستان کے انتخابات کے بارے میں خبریں بھیجیں۔ ان انتخابات میں حکمراں پارٹی کو شکست ہوئی تھی۔ یورپ میں جنگ کے بعد ایک نئی دنیا تشکیل ہو رہی تھی۔ جیک نے اس کا آنکھوں دیکھا حال لکھ بھیجا۔

عالمی سیاست کے بارے میں کینیڈی جیسا علم رکھنے والے نوجوانوں کے لئے یہ دور بڑا ہی دلچسپ تھا۔ یورپ دوررس تبدیلیوں سے دوچار تھا۔ جیک نے، کئی سال پہلے اپنی کتاب ''انگلستان سو کیوں رہا تھا؟'' میں جس یورپ کا ذکر کیا تھا، آج کا یورپ اس سے بالکل مختلف تھا۔

جیک نے سفارت خانوں سے قریب رہ کر ان باتوں کو جاننے اور ان مسائل پر روشنی ڈالنے کی کوشش کی جوان کے بند دروازوں کے پیچھے عالمی طاقتوں کی توجہ کا مرکز بنے ہوئے تھے۔ اسے بہت جلد یہ احساس ہو گیا کہ ایک نامہ نگار کی زندگی اس کے لئے بالکل موزوں نہیں ہے۔ نامہ نگار تو دوسروں کے خیالات کی ترجمانی کرتے تھے، اور وہ ان واقعات پر روشنی ڈالتے تھے جو دوسروں سے سرزد ہوتے تھے۔ جیک تو ان واقعات میں خود حصہ لینا چاہتا تھا جواس کے چاروں طرف دنیا میں ہو رہے تھے۔ اب اس کی صحت بہتر تھی۔ اب وہ یہ چاہتا تھا کہ وہ دوسرے میدانوں کو اپنا لے اور ایسی خبروں کا ایک اہم حصہ بنے جن کے بارے میں دوسرے نامہ نگار قلم اٹھائیں۔

جب جیک کینیڈی 1945ء میں یورپ سے واپس آیا تو اس کے ذہن میں ایسے

ہی خیالات تھے۔ اس لئے اس نے خبر رساں ایجنسی کی ملازمت سے استعفیٰ دے دیا۔

لوگ کہتے ہیں کہ جان ایف کینیڈی نے ایک شام اپنے باپ سے طویل گفتگو کے بعد سیاست میں حصہ لینے کا فیصلہ کرلیا، لوگ یہ بھی کہتے ہیں کہ باپ نے بیٹے سے کہا کہ چونکہ جوؔ نے ملک کے لئے جنگ میں جان دی تھی، اب خاندانی روایات کو آگے بڑھانے کی ذمہ داری جیکؔ پر آن پڑی تھی۔ یہ روایات قومی کاموں کی تھیں۔ اس کے باپ نے یقین دلایا کہ پورا خاندان جیکؔ کا ہاتھ بٹائے گا۔

لیکن حقیقت اس سے ذرا مختلف ہے۔ یہ صحیح ہے کہ کینیڈی خاندان میں قومی خدمات کی روایات موجود تھیں۔ یہ بھی صحیح ہے کہ باپ بھی یہی چاہتا تھا کہ جیکؔ ان میں بڑھ چڑھ کر حصہ لے۔ لیکن آخری فیصلہ جیکؔ ہی کو کرنا تھا۔ اس نے سیاسیات اور حکومت کے قواعد وضوابط کا بڑا گہرا مطالعہ کیا تھا۔ وہ باپ کے نائب کی حیثیت سے ملک کی وزارت خارجہ سے بھی قریب رہ چکا تھا۔ یہ بھی صحیح تھا کہ وہ مفکر بھی تھا اور کم سخن بھی۔ لیکن ساتھ ہی وہ ایک ایسا نوجوان بھی تھا جسے عملی کام پسند تھے، اور نتائج سے بے فکر ہوکر، ہر وہ کام کرنا پسند کرتا، جس کے بارے میں اسے یقین ہو جائے کہ یہ کرنے کے لائق ہے۔ دل ہی دل میں یہ اس کی آرزو تھی کہ وہ ایک نہ ایک دن حکومت کے اونچے حلقوں تک جا پہنچے۔ اسے یقین بھی تھا کہ قدرت نے اسے سیاحت میں حصہ لینے کے لئے پیدا کیا ہے۔

لیکن ساتھ ہی کئی الجھنیں بھی تھیں۔ اسے یہ بھی معلوم تھا کہ سیاسی زندگی کو اپنانا اس کے لئے آسان نہیں ہے۔ اسے نئے لوگوں کے مجمع میں بڑی گھبراہٹ ہوتی تھی۔ سیاست کے بعض پہلو بھی اسے ایک آنکھ نہ بھاتے۔ اسے یہ بالکل پسند نہیں تھا کہ آج لوگوں سے وعدے کئے جائیں اور کل توڑ دیئے جائیں۔ بہرحال زندگی نے اسے ایک ایسی شاہراہ پر لا کھڑا کیا تھا جہاں اسے اپنے بارے میں بڑا اہم فیصلہ کرنا

تھا۔ اس نے بہت سوچ بچار کے بعد یہ فیصلہ کر ہی لیا۔

اس کا فیصلہ کچھ ایسا تھا کہ بوسٹن کا شہر چونک اٹھا۔ امریکی کانگریس میں بوسٹن کے ایک نمائندے کے لئے نشست خالی تھی۔ جیک کینیڈی نے جسے سیاسی کاموں کا کوئی تجربہ نہیں تھا، یہ اعلان کیا کہ وہ اس نشست کے لئے انتخاب لڑے گا۔ اس فیصلے نے بوسٹن کے سیاست دانوں کو بھی حیران کر دیا۔ ان کی ساری زندگی اسی میدان میں گزری تھی۔ انہوں نے اس انتخاب کو مذاق سمجھا کیونکہ انہیں یقین تھا کہ وہ اسے آسانی سے ہرا دیں گے۔ نہ صرف جیک بے حد نوعمر تھا، وہ بیمار بھی تھا، کیونکہ جنگ کے زمانے کے زخم ابھی کچے تھے۔

ان کا خیال تھا کہ بوسٹن کے سیاست داں کو یا کانگریس میں شریک کرنے والے نمائندے کو جیسا ہونا چاہئے اس سے جیک کینیڈی بالکل مختلف تھا۔ وہ اس قسم کا انسان تھا جو اپنے دوستوں اور رشتہ داروں کو اچھی اچھی ملازمتیں دیتے ہیں۔ کم از کم اس کے خاندان والوں کو ملازمتوں کی کوئی ضرورت نہیں تھی۔ دوسرے لفظوں میں جیک کی حالت اس مچھلی کی سی تھی جو پانی سے باہر ہو۔

اس سلسلے میں جیک کے منصوبے بڑے منفرد تھے۔ اس نے دل ہی دل میں فیصلہ کر لیا تھا کہ وہ اپنی زندگی کی پہلی سیاسی جنگ، تن تنہا لڑے گا۔ یہ انتخابی نشست دوسرے جیت کر اُسے تحفے کے طور پر نہیں دیں گے۔

جیک کو اپنی قوت کا بھی احساس تھا۔ اس سے غالباً بوسٹن کے دوسرے سیاست داں پورے طور پر واقف نہیں تھے۔ اس کے نام کے ساتھ کینیڈی لگا ہوا تھا جس کے جادو نے پچھلے کئی چھوٹے موٹے انتخابات میں لوگوں سے ووٹ حاصل کئے تھے۔ اسے معلوم تھا کہ اس علاقے کے پُرانے آئرش خاندان اسے بھی اسی طرح ووٹ دیتے جس طرح لوگوں نے اس کے نانا کو دیا تھا۔ سیاسیات میں سرمایہ بہت مفید

ثابت ہوتا ہے۔ جیک کے پاس دولت کی کمی نہیں تھی۔ اس نے آخر کار فیصلہ کیا کہ اگر اسے جیتنا ہے تو اسی طرح استقلال اور ہمت کے ساتھ میدان میں کودنا ہوگا جس طرح اس نے اپنی پی ٹی نمبر 109 کشتی کے ساتھیوں کی جان بچانے کی کوشش کی تھی۔

حقیقت تو یہ ہے کہ بوسٹن کے سیاست دانوں کو جیک کے کردار کے بارے میں جو کچھ معلوم نہیں تھا۔ جس کی وجہ سے ان لوگوں نے اس کے بارے میں غلط رائے قائم کی۔ جیک کو بوسٹن کے اُس علاقے سے کھڑا ہونا تھا۔ جو ''کانگریس کا گیارہواں انتخابی ضلع'' تھا جو بدقسمتی سے شہر کا اچھا علاقہ نہیں سمجھا جاتا تھا۔ ایسے میں عموماً غریب لوگ آباد تھے۔ اس کے ساتھ ہی یہاں قانون شکن غنڈہ عناصر بھی تھے۔ سیاست دانوں کو یقین تھا کہ اس علاقے میں ان کے مقابلے میں کامیابی حاصل کرنا تقریباً ناممکن ہے، خاص طور پر ہارورڈ کے اعلیٰ تعلیم یافتہ شخص کے لئے۔

لیکن یہی علاقہ جیک کو کامیاب بھی کرا سکتا تھا کیونکہ یہیں جیک کا باپ پیدا ہوا تھا۔ اسی کے شمالی حصہ میں جیک کی ماں پلی بڑھی تھی۔ جیک کو یقین تھا کہ ان علاقوں سے اسے ضرور بہت سے ووٹ ملیں گے کیوں کہ یہاں کے لوگوں کو کینیڈی خاندان اور ان کی معقول سیاست اور مناسب سیاسی سرگرمیاں ضرور یاد ہوں گی۔

چونکہ جیک اس علاقے سے اچھی طرح واقف نہیں تھا، اس نے انتخابی سرگرمیاں خود ہی اور دوسروں سے بہت پہلے شروع کیں۔ چند ہی دنوں کے بعد اسے احساس ہو گیا کہ اس کے گرد، اب معقول لوگ آہستہ آہستہ جمع ہو رہے تھے۔ ساتھ ہی اسے یہ بھی محسوس ہوا کہ اپنے بڑے بھائی کے نقشِ قدم پر چلنا اس کے لئے آسان نہیں تھا۔ جو، ہر قسم کے لوگوں سے آسانی سے، بغیر کسی جھجک کے، مل لیتا تھا، اور کسی قسم کی اجنبیت محسوس نہ کرتا۔ جیک کے لئے ایسا کرنا شروع شروع میں بہت مشکل تھا، لیکن آہستہ آہستہ اس نے اپنی یہ کمزوری بھی دور کر لی۔

جیک کا باپ اُس خاموش جنگ سے واقف تھا جو اس کے نوجوان بیٹے کے دل و دماغ میں جاری تھی۔ ایک دن اس نے دیکھا کہ ایک سڑک کے موڑ پر جیک کھڑا اجنبیوں سے ہاتھ ملا رہا تھا اور مسکرا مسکرا کر ان سے باتیں کر رہا تھا اور باتوں باتوں میں انہیں اپنا حمایتی بنا رہا تھا۔ ان میں سے اکثر وعدہ کر رہے تھے کہ وہ انتخابات میں اسی کو ووٹ دیں گے یہ دیکھ کر اس کے باپ نے کہا ____ ''مجھے یقین نہیں تھا کہ جیک یہ بھی کر سکتا ہے!''

بعض ایسے لمحے بھی آئے جب جیک نے خود بھی محسوس کیا کہ غالباً وہ یہ نہیں کر سکتا۔ ان لمحوں سے خاصا دل برداشتہ ہو کر وہ اپنے دوستوں سے کہا ____ ''اگر آج جو زندہ ہوتا تو مجھے یہ دردِ سر مول نہ لینا پڑتا۔'' لیکن اس کے ساتھ ہی اس کے قریبی حلقے دیکھ رہے تھے کہ اب اس میں خود اعتمادی پیدا ہو گئی تھی۔

جیک کے چھوٹے بھائی رابرٹ نے بھی اس کا ہاتھ بٹانا شروع کر دیا تھا۔ اسی طرح اس کے پرانے دوست لی موئن بلنگس اور جو کے ایک عزیز دوست، ٹیڈ ریرڈان نے بھی باقاعدہ کام شروع کر دیا تھا۔ ان کی دیکھا دیکھی بیس دوسرے نوجوان بھی ان کے ساتھ شریک ہو گئے تھے۔ یہ سب بوسٹن کی سیاست کو گندگی سے نجات دلانا چاہتے تھے۔

ابتدائی دوڑ میں جیک کے لئے حالات اُمید افزا تھے کیوں کہ یہاں ریپبلکن بہت کمزور تھے۔ اس کے معنی یہ تھے کہ ابتدائی مقابلہ میں جو ڈیما کریٹ بھی کامیاب ہوتا اس کے لئے کانگریس میں نشست حاصل کرنا مشکل نہ ہوتا۔ چونکہ جیک نے وقت سے بہت پہلے اپنی سرگرمیاں شروع کر دی تھیں اس لئے شروع شروع میں سب نے اس کا بہت مذاق اُڑایا۔ لیکن بہت جلد جیک کی بڑھتی ہوئی ہر دلعزیزی کو دیکھ کر ان کے چھکے چھوٹ گئے۔ اس پر جل کر ان مخالفین نے جیک پر کیچڑ اچھالنا شروع کر

دیا۔ ان کے رکیک حملوں نے جیک کو اور زیادہ مستقل مزاج بنا دیا اور وہ دن رات کام کرنے لگا۔ اس نے اس علاقے کا دورہ شروع کر دیا۔ جہاں بھی اسے امید ہوتی کہ اسے ووٹ ملیں گے وہ وہاں پہنچ گیا۔ ہر جگہ لوگوں نے اس کا استقبال کیا۔ جوں جوں اس کی سرگرمیاں بڑھتی گئیں وہ چہرے سے بیمار لگنے لگا۔ اس کا وزن بھی یقیناً گھٹ گیا تھا۔ اس کے باوجود وہ بڑی مستقل مزاجی کے ساتھ اپنی دھن میں لگا رہا۔

دیکھتے ہی دیکھتے چند ہی مہینوں میں وہ ایک تجربہ کار سیاسی کارکن بن گیا۔ وہ اب بڑے سلجھے ہوئے منصوبے بنانے لگا۔ اس سیاسی دَوڑ میں وہ واحد سیاست داں تھا جس نے جنگ میں حصہ لیا تھا۔ اس کا یہ پس منظر اس کے لئے مفید ثابت ہوا۔ اس نے انتخابات کے قریب، چائے کی دعوتیں دینی شروع کر دیں۔ ہر ایک دعوت میں عموماً تقریباً پچیس مہمان بلائے جاتے۔ ان دعوتوں میں سیاسی گفتگو ہوتی۔ جیک ہر ایک سے بڑی خندہ پیشانی سے ملتا، ان کے خیالات سنتا، اپنی رائے دیتا۔ اس طرح ان سب میں رفاقت کا ایک رشتہ پیدا ہوتا جس کی وجہ سے امید بندھتی کہ شاید انتخابات میں یہ لوگ اسی کے حق میں رائے دیں۔ اس کا اندازِ گفتگو کچھ اس قدر موثر تھا اور اس کی شخصیت اب اتنی جاذب نظر ہوگئی تھی کہ لوگ عموماً اس سے متاثر ہو کر، ان دعوتوں سے واپس جاتے۔

بہت جلد، گھاگ قسم کے سیاست دانوں کو بھی احساس ہو گیا کہ جیک کینیڈی کی سیاسی مہم کامیاب ہو رہی ہے۔ چنانچہ جب ابتدائی چناؤ کا وقت آیا تو جیک نے، اپنے مخالف سیاست دانوں کو بہت پیچھے چھوڑ دیا۔ اسے جتنے زیادہ ووٹ ملے ان کی گنتی نے ان لوگوں کو بھی حیران کر دیا جنہوں نے دن رات اس کے لئے کام کیا تھا۔ بعد میں جیک نے اخباری نمائندوں سے کہا۔ ''سیاست میں وقت کی بڑی اہمیت ہوتی ہے۔ اگر تمام باتیں صحیح وقت پر ہوں تو کامیابی یقینی ہوتی ہے۔'' اس نے ان سے کہا

کہ اس کی کامیابی کا راز یہ تھا کہ اس دَوڑ میں صرف وہ اکیلا تھا جس نے عالمی جنگ میں ملک وملت کی خدمت کی تھی۔ اگر اس کا بھائی جوؔ، جنگ میں مارا نہ جاتا تو آج وہ، اس کی جگہ کانگریس کا رکن ہوتا۔

حالات کا جائزہ لینے اور مسائل کو دیکھنے اور سمجھنے کا، جیک کینیڈی کا ایسا ہی انداز تھا۔ دراصل اب وہ ترقی کی راہ پر گامزن تھا۔ لیکن اس نے ہمیشہ یہ محسوس کیا کہ یہ کامیابی صرف اس کی کوششوں کا نتیجہ نہیں تھی۔

وہ اکثر کہا کرتا ___ ''جس طرح میں سیاست میں صرف اس لئے داخل ہوا کہ میرا بڑا بھائی جوؔ مر چکا تھا، اسی طرح کل مجھے کچھ ہو جائے تو میرا چھوٹا بھائی باؔبی یہ خدمت انجام دے گا۔ ___ اور اگر باؔبی بھی مر جائے تو ٹیڈی یہ ذمہ داری سنبھال لے گا اور ہماری یہ روایات جاری رہیں گی۔''

سینیٹر کینیڈی اور ان کی بیوی

وہ شام بڑی روشن اور حسین تھی۔ میساچوسیٹس میں میڈفورڈ کے مقام پر، وہاں کے ہائی اسکول کی فٹ بال ٹیم ایک میچ کھیل رہی تھی کہ یکا یک وہاں ایک دُبلا پتلا نوجوان نظر آیا۔ غالباً وہ کسی سے ملنے وہاں آیا تھا۔ ایک کھلاڑی، فریڈی گرین لیف نے اسے دیکھا تو آواز دی ___ "اومیاں یہاں آ کر ذرا گیند تو پھینکو ___ ہمارے یہاں ایک کھلاڑی کی کمی ہے۔"

اس پر اس نوجوان نے وہی کیا جو اس سے کہا گیا۔ اتنے میں کھیل کا نگراں جان پرائر وہاں آ گیا اور اس نے بڑی دلچسپی سے یہ کھیل دیکھا۔ پھر اس نے فریڈی کے قریب جا کر پوچھا۔ "کانگریس مین کا کھیل کیسا ہے؟"

"اچھا تو یہ لڑکا کانگریس مین کہلاتا ہے!" فریڈی نے جواب دیا۔ "اسے بڑی محنت کرنی ہوگی۔ کس کلاس میں ہے یہ؟" اس پر پرائر نے ایک قہقہہ لگایا اور کانگریس میں ان کے نمائندے جان کینیڈی سے ملوایا۔ اب فریڈی کی حالت دیکھنے کی تھی۔ دراصل جیک اس دن ایک پرانے ساتھی سے ملنے وہاں گیا تھا۔ وہ چہرے سے اتنا نوعمر لگتا تھا کہ اکثر لوگ اسے طالب علم سمجھتے۔

اس وقت اس کی عمر صرف 29 سال تھی اور وہ کانگریس کے بیشتر نمائندوں سے کم عمر تھا۔ اسے دیکھ کر یہ لگتا تھا جیسے اس نے حال ہی میں کالج کی تعلیم مکمل کی ہے۔

جیکؔ نے یہ غلط فہمی دور کرنے کی تیزی سے کوشش کی۔ بہت سے کانگریسی نمائندے یہ کرتے کہ انتخابات کے وقت عوام سے لمبے چوڑے وعدے کرتے۔ جوں ہی انتخابات ہو جاتے انہیں یہ مطلق یاد نہ رہتا کہ انہوں نے کیا وعدے کیئے تھے۔ لیکن جیکؔ نے یہ نہیں کیا۔ اس نے عوام کی خدمت دل لگا کر کی اور تمام وعدے پورے کیئے جو اس نے ان سے کیئے تھے۔ اس کا نتیجہ یہ نکلا کہ انہوں نے اسے دوبارہ 1948ء میں اور ایک بار پھر 1950ء میں کانگریس کے لئے چنا۔ اس طرح اسے واشنگٹن کی سیاسی زندگی کا قریب سے مطالعہ کرنے کا موقع ملا۔ ہر مہم کے بعد اس کی ہر دلعزیزی میں اضافہ ہوتا گیا۔

جیک کو کانگریس میں اپنی کامیابی کا بڑا یقین ہو گیا تھا کیونکہ اس کی ٹکّر کا حریف کوئی نہیں تھا۔ اس کا جی اب نئی منزلیں سر کرنے کو چاہنے لگا۔ وہ اکثر سوچتا کہ وہ کون سی راہ اختیار کرے۔ کیا وہ میساچوسیٹس کی گورنری کے لئے کوشش کرے یا اس سے بھی کسی بڑی جگہ کے لئے کسی نئی مہم کا آغاز کرے۔

بغیر کسی خاص مقصد کے اس نے ایک بار پھر عوام سے رابطہ قائم کیا۔ پورے ہفتے وہ کانگریس میں عوام کے حقوق کے تقویت پہنچانے والی ہر قسم کی مفید تحریکوں اور تجویزوں میں حصہ لیتا۔ جب ہفتہ کی چھٹیاں شروع ہوتیں (ہفتہ، اتوار) تو وہ ہوائی جہاز کے ذریعے میساچوسیٹس واپس آجاتا۔ اور کوشش کر کے زیادہ سے زیادہ لوگوں سے ملتا، ان کے مسائل میں دلچسپی لیتا اور ان کے حل ڈھونڈ ھ نکالنے کی کوشش کرتا۔

1950ء کے ابتدائی مہینوں میں بھی اس نے یہی کیا۔ اور جب ترقی کی راہ پر، ایک نئی اور شاندار منزل کی طرف آگے بڑھنے کا وقت آیا تو اس نے فیصلہ کیا کہ اب کے وہ سینیٹ (Senate) کے انتخابات میں حصہ لے گا۔

یہ ایک بڑا ہی اہم فیصلہ تھا، لیکن جیک کے لئے بڑا دانشمندانہ قدم تھا۔ اب تک

وہ ایوان نمائندگان کا رکن تھا۔ وہاں اسی کی طرح کے اور 434 رکن تھے۔ وہاں رہ کر وہ کبھی اپنے ملک یا دنیا کے لئے اہم نہیں بن سکتا تھا۔ لیکن ایک بار سینیٹ میں پہنچنے کے بعد اسے وسیع تر مواقع ملنے کی امید تھی۔

جیک نے 1952ء میں سینیٹ میں داخلے کی کوشش کی۔ اس نشست کے لئے مشہور سیاست داں، ہنری کیبٹ لاج (Henry Cobot Lodge) منتخب ہوئے تھے۔ جیک کو معلوم تھا کہ لاج سے مقابلہ آسان نہیں تھا۔ لیکن اس نے گزشتہ انتخابی مہموں میں ریاست کے 351 شہروں کے دورے کئے تھے اور ان سے جو تجربہ حاصل کیا تھا اس سے امید بندھی تھی کہ شاید حالات اتنے مایوس کن نہیں تھے۔ کم از کم یہ تو تھا کہ وہاں کے تقریباً تمام باشندے اس سے واقف تھے۔ جب 1946ء میں اس نے پہلی بار کانگریس کی رکنیت کے لئے مہم چلائی تھی، اس وقت اس سے کوئی بھی واقف نہ تھا۔

لاج کے مقابلے میں مہم چلاتے ہوئے جیک نے ایک طرح سے ریپبلکن پارٹی کے صدارتی نمائندے ڈوائٹ آئزن ہاور کے خلاف کام شروع کیا تھا، کیونکہ آئزن ہاور بھی ہنری کیبٹ لاج کی کامیابی کے خواہاں تھے۔ یوں تو امریکی عوام جنرل آئزن ہاور کی بڑی قدر کرتے تھے لیکن انہیں شروع میں جن لیڈروں کی طرف سے بڑی مدد ملی تھی ان میں لاج پیش پیش تھے۔ اب 1952ء کے صدارتی انتخاب بھی لاج نے جنرل کا ساتھ دینے کا اعلان کیا تھا۔ دراصل انہوں نے اس سلسلے میں دوڑ دھوپ بھی شروع کر دی تھی۔ اس کے معنی یہ تھے کہ وہ سینیٹ کے لئے خود اپنے انتخاب کے سلسلے میں زیادہ وقت نہیں دے سکتے تھے۔ جیک کی دوررس نگاہوں نے بھانپ لیا کہ اس کا مخالف نمائندہ کہیں اور اُلجھا ہوا تھا۔ اس نے بڑی ذہانت سے اس کا فائدہ اٹھایا اور ہر محاذ پر اپنی مہم تیز کر دی لیکن ایک بار پھر اس کی پیٹھ کا درد لوٹ آیا اور ایک وقت ایسا بھی

آیا جب وہ کسی کا سہارا لئے بغیر چل نہیں سکتا تھا پھر بھی اس نے اپنا کام جاری رکھا۔

اس انتخاب کے سلسلے میں بھی اس نے دعوتوں کا سلسلہ شروع کر دیا۔ ان دعوتوں میں بارسوخ لوگ اس سے تبادلہء خیال کرتے اور اس کی شخصیت اور اس کی سیاسی سوجھ بوجھ سے متاثر ہو کر چلے جاتے اور عوام تک اس کے بارے میں اچھی اچھی باتیں پہنچاتے۔ اس مہم کی کامیابی کے لئے ضروری تھا کہ جیک کے خاندان کے دوسرے افراد بھی اس کا ہاتھ بٹائیں۔ چنانچہ خاندان والوں نے یہی کیا۔ یکے بعد دیگرے سب اس کے گرد جمع ہو گئے۔ ان دعوتوں میں یوں تو اس کے تمام بھائی بہن حصہ لے رہے تھے لیکن سب سے اہم ذمہ داریاں جیک کے ستائیس سالہ بھائی رابرٹ کینیڈی نے سنبھال رکھی تھیں۔ دیکھتے ہی دیکھتے یوں معلوم ہونے لگا جیسے جیک، اپنے حریف لاج سے آگے بڑھ جائے گا۔ عموماً ان دعوتوں کی روحِ رواں اس کی ماں روز کینیڈی ہوتیں۔ وہ خوش شکل بھی تھیں اور باوقار بھی۔ باتیں بھی وہ بڑی دلچسپ کرتیں۔ وہ اکثر مہمانوں کو بتاتیں کہ انہوں نے اپنے نو بچوں کی پرورش کیسے کی۔ وہ مادرانہ محبت کے ساتھ اپنی اولاد کے بارے میں ایسی دلچسپ باتیں کرتیں کہ وہاں جتنی بھی مائیں موجود ہوتیں، سب کی سب خود اس پر ناز کرنے لگتیں۔ آخر جب نوعمر جیک جو چہرے سے لڑکا ہی معلوم ہوتا جب ان سے ملنے آتا تو کمرے میں موجود تمام خواتین اُس کی ذات سے ماؤں جیسی دلچسپی کا اظہار کرتیں۔

اسی طرح دن گزرتے گئے اور آخر انتخابات کی رات آ گئی۔ ابتدائی تفصیلات سے پتہ چلا کہ اس دَوڑ میں جیک، لاج سے پیچھے تھا، اسی طرح جنرل آئزن ہاور، اڈلائی اسٹیونسن سے لاج ہی کی طرح آگے تھے۔ اس کے باوجود لوگ کہتے ہیں کہ جیک کو اپنی کامیابی کا پورا یقین تھا۔ آخر جب تمام ووٹوں کی گنتی ہو گئی تو پتہ چلا کہ اس نے یہ انتخاب ستر ہزار ووٹوں سے جیت لیا تھا۔ حیرت کی بات یہ تھی کہ صدارتی

انتخاب میں لاج کے ساتھی جنرل آئزن ہاور کو کامیابی ہوئی تھی۔ اس کے معنی یہ تھے کہ اگرچہ عوام نے صدارت کے لئے آئزن ہاور کو چنا تھا انہوں نے جنرل کے رفیق کار لاج کے مقابلے میں جیک کینیڈی کو ترجیح دی تھی۔

اس طرح جیک کینیڈی ایک سینیٹر کی حیثیت سے واشنگٹن پہنچا۔ اب اس کی عمر 35 سال تھی اور وہ ایک خوش شکل آدمی تھا۔ اب تک وہ کنوارا تھا اور وہ بہت سی لڑکیوں کی نگاہوں کا مرکز تھا۔ اس کے ساتھ ساتھ اخبار والے بھی اس میں بڑی دلچسپی لے رہے تھے۔ وہ جہاں بھی جاتا، جس کسی تقریب میں حصہ لیتا اس کی تفصیلات ضرور شائع کرتے۔ ان کی اِس نگرانی کے باوجود، جیک نے اب چپکے چپکے ایک حسین لڑکی میں دلچسپی لینی شروع کر دی تھی۔ اس کا نام جیکولین لی بوویر (Jacueline Lee Bouvier) تھا۔

جیکی، بہت خوب صورت، جوان اور صحت مند تھی اور عادت کی بھی بے حد اچھی تھی۔ جیک کی طرح اسے بھی کھیلوں سے بہت دلچسپی تھی۔ خوش گفتار تھی اور اسے فنونِ لطیفہ اور کتابوں سے بڑا لگاؤ تھا۔ وہ تصویریں بھی اچھی بناتی تھی۔ ان سب خصوصیات نے جیک کا دل موہ لیا۔ پہلی بار وہ جیکی سے ایک چھوٹی سی پارٹی میں ملا تھا، اور پہلی ہی ملاقات میں وہ اسے پسند آ گئی تھی۔ وہیں اس نے دوبارہ ملنے کی خواہش کی تھی۔

شروع شروع میں وہ بہت کم ملے کیونکہ اس زمانے میں جیک کو فرصت کم ملا کرتی۔ جو ملتی اس میں وہ انتخابات کے سلسلے میں بہت سے کاموں میں الجھا رہتا۔ اسے اکثر دورے کرنے پڑتے۔ لیکن جب 1952ء میں وہ سینیٹر کی حیثیت سے واشنگٹن آیا تو اسے خاصا وقت مل گیا۔ یہاں آنے کے بعد اس نے ایک اور مہم چلائی ____ یہ تھی جیکولین کا دل جیتنے کی مہم۔ جیکی، واشنگٹن کے ایک اخبار میں کام

کرتی تھی۔ وہ عموماً شہر کے لوگوں کا انٹرویو لیا کرتی اور دنیا کے ہر موضوع اور مسئلے کے بارے میں ان کی رائے جاننے کی کوشش کرتی۔ وہ ان کے فوٹو بھی کھینچتی۔ یہ تصاویر اور ان کے خیالات دوسرے دن اخبار میں شائع ہوتے۔

وہ عموماً دن بھر کام کرتی اور شام سینیٹر کینیڈی کے ساتھ گزارتی۔ دونوں ساتھ کھانا کھاتے اور اکثر سنیما دیکھتے۔ چند ہی مہینوں کے بعد جیک نے شادی کی درخواست کی، جو قبول کر لی گئی۔ ستمبر 1953ء میں ان کی شادی ہو گئی۔ اس میں تقریباً بارہ سو مہمانوں نے شرکت کی۔ ان میں بہت سے امریکی کانگریس اور سینیٹ کے نمائندے بھی تھے۔ سب نے اس شادی کا گرمجوشی سے خیر مقدم کیا اور دولہا دلہن کو مبارک باد دی۔

حالات سے واضح تھا کہ تمام باتیں بڑی خوش اسلوبی سے ہو رہی ہیں۔ یوں لگتا تھا کہ ہر طرف سے رحمتیں ان پر نازل ہو رہی ہوں۔ ان کے چاروں طرف خوشیاں ہی خوشیاں تھیں۔ دونوں نے میکسیکو کا سفر کیا اور وہاں سے واشنگٹن آنے کے بعد انہوں نے ورجینیا میں ایک حسین کوٹھی خریدی اور ایک بڑے کنبے کے سہانے خواب دیکھتے ہوئے روزمرہ کی زندگی میں اُلجھ گئے۔

اس سے بے خبر کہ جس بڑے خاندان کے خواب دونوں نے دیکھے تھے وہ ان کی قسمت میں نہیں تھا۔

جرأت کی ایک تصویر

سیاست، زندگی کی بڑی ہی کٹھن آزمائش ہوتی ہے۔ جس سے انسان کو اس وقت گزرنا پڑتا ہے جب وہ اس میدان میں نو وارد ہو۔ اس پر عبور حاصل کرنے کے لئے اتنی ہی قوتِ برداشت اور ویسی ہی ذہانت اور صلاحیت کی ضرورت ہوتی ہے جیسی، ایک بے قابو بدکے ہوئے گھوڑے کی پیٹھ پر جمے رہنے کے لئے ایک سوار کو ضرورت پڑتی ہے، جیک نے بھی جب اس میدان میں آگے بڑھنے کی کوشش کی تو اس کی مصروفیتیں بے انتہا بڑھ گئیں۔ ایک سینیٹر کی حیثیت سے اسے بہت سے نئے کاموں کے لئے وقت دینا پڑا۔ اسے یہ کام بُرے نہیں لگے۔ یہ کام آسان نہیں تھے پھر بھی اسے دلچسپ معلوم ہوتے۔

صرف ایک مسئلہ ایسا تھا جس پر وہ اب تک قابو نہ پا سکا تھا۔ یہ مسئلہ تھا اس کی پیٹھ کی چوٹ کا جو اُس رات پھر تازہ ہوگئی تھی جب جاپانی جنگی جہاز اس کی پی ٹی کشتی پر حملہ آور ہوا تھا۔ اب اس کی یہ تکلیف بڑھ گئی۔ جیسے جیسے دن گزرتے گئے درد کی شدت میں اضافہ ہوتا گیا، اور اب اس کی جھلک اکثر اس کی آنکھوں میں بھی عود کر آتی۔

جب بھی وہ کوئی نیا قدم اٹھاتا، درد کی شدت اسے تڑپا دیتی۔ آخرکار وہ دن بھی آیا جب اسے کانگریس کے ایک اجلاس میں بیساکھیوں کے سہارے شرکت کرنی

پڑی۔ اس نوجوان سینیٹر نے پوری کوشش کی تھی کہ اس کے دوستوں کو کبھی پتہ نہ چلے کہ وہ کیسی تکلیف میں مبتلا تھا۔ سینیٹ کے انتخابات کی دوڑ دھوپ نے اس کی تمام قوت سلب کر لی تھی۔ بعض اوقات گرم پانی میں لیٹ کر ہی اس کی پیٹھ کو آرام ملتا۔ جب اس نے یہ اعتراف کر لیا کہ بیساکھیوں کے بغیر چلنا پھرنا اس کے لئے ناممکن ہے، اُس وقت دوستوں کو احساس ہوا کہ وہ کتنی تکلیف میں تھا۔

جب وہ بحریہ میں تھا اس وقت اس کا آپریشن ہوا تھا۔ یہ پورے طور پر کامیاب نہیں ہوا تھا۔ ڈاکٹروں نے اس کی پیٹھ کو قوت عطا کرنے کے لئے آپریشن کر کے جو آلہ رکھا تھا اس سے کچھ زیادہ فائدہ نہیں ہوا۔ ایک دوست کہتے ہیں ___ ''1952ء کی انتخابی مہم میں بعض اوقات وہ بیساکھیوں کی مدد کے بغیر بالکل چل پھر نہ سکتا۔ لیکن پھر بھی جیک نہیں چاہتا تھا کہ عوام اس کی بے بسی دیکھ سکیں۔ اس لئے جب وہ اس عمارت کے دروازہ پر پہنچتا جہاں اسے تقریر کرنا ہوتی تو دروازے سے باہر رک کر وہ اپنی بیساکھیاں اپنے ساتھیوں کو دے دیتا۔ اپنی پیٹھ کا تسمہ کستا اور خدا جانے کس طرح بالکل سیدھے چلتا ہوا اندر داخل ہوتا اور پروگرام کے مطابق تقریر بھی کرتا، اور تقریب کی دوسری سرگرمیوں میں شریک رہتا۔

اب تو وہ وقت آ گیا تھا کہ اس کی قوت ارادی نے بھی جواب دے دیا۔ ایک دن اس نے اپنے دوست سے کہا۔ ''اِن بیساکھیوں کے سہارے زندہ رہنے سے تو بہتر ہے کہ میں مر جاؤں۔''

ایک بار پھر قسمت نے اسے مجبور کر دیا تھا۔ جب وہ چھوٹا سا تھا اور اس کا وزن بہت کم تھا تو اس نے کوشش کر کے اس کمی کو پورا کر لیا تھا۔ بحریہ میں داخل ہونے کے لئے بھی اس نے اپنی کمزوری پر قابو پا لیا تھا لیکن اب حالات ایسے تھے کہ وہ بڑی اداسی کے ساتھ سوچتا کہ شاید ساری زندگی اسے انہی بیساکھیوں کے سہارے ایک معذور

انسان کی سی گزارنی پڑے۔

غالباً پچھلے تمام مسائل کے مقابلہ میں یہ اُلجھن سب سے زیادہ پریشان کُن تھی۔ لیکن اس پر بھی قابو پاکر اس نئی مشکل کا بھی حل ڈھونڈھ نکالنا ضروری تھا۔ اسے معلوم تھا کہ مزید تکلیف برداشت کرنے کے معنی یہ تھے کہ اسے اپنی سیاسی زندگی کو خیرباد کہنا پڑتا۔ اس لئے اس نے اُسی طرح سوجھ بوجھ سے کام لیا جس طرح اس رات کو جاپانی جہاز کا شکار ہونے کے بعد اس نے پی ٹی کشتی کو چھوڑ کر سمندر میں پناہ لی تھی۔ اس نے خاصے غور و فکر کے بعد یہ فیصلہ کیا کہ اسے ایک اور آپریشن کرالینا چاہئے، شاید یہ کامیاب ہو جائے۔

اس نے فیصلہ تو کرلیا لیکن ڈاکٹر آپریشن سے ہچکچانے لگے کیونکہ کئی ڈاکٹروں کا خیال تھا کہ اس کی زندگی خطرہ میں پڑ سکتی تھی۔ بعض نے تو یہ تک کہہ دیا کہ وہ آپریشن کے دوران ہی دم توڑ سکتا ہے۔ ان کی تنبیہ کے باوجود جیک اپنی ضد پر اڑا رہا۔ وہ تو صحت مند انسان کی طرح زندہ رہنا چاہتا تھا نہ کہ اپاہج بن کر۔ اس لئے اکتوبر 1954ء میں کئی ڈاکٹروں نے مل کر اس کا آپریشن کیا۔ وہ کئی ہفتوں تک بغیر ہلے جُلے چپ چاپ بستر پر لیٹا رہا۔ وہ نہ اُٹھ سکتا تھا اور نہ پڑھنے لکھنے کے لئے بیٹھ سکتا تھا۔ اس لئے اس کے کمرہ کو تاریک رکھا گیا۔ اور تو اور جب وہ سونا چاہتا تو سو بھی نہیں سکتا تھا۔

جیکولین اِس پوری مدت میں اپنے شوہر کے پاس رہی۔ وہ اس کی مدد کرنے کی ہر طرح کوشش کرتی۔ اُس نے ہر ممکن طریقے سے جیک کے ذہن کو اس کی تکلیف سے دور رکھنے کی کوشش کی۔

اس دوران دو بار ایسا بھی ہوا کہ یکایک اس کی حالت نازک ہو گئی اور ڈاکٹروں نے یہ سوچ کر کہ شاید اس کی آخری گھڑی آن پہنچی ہے اس کے کنبے والوں کو بلوا لیا۔ لیکن جیک کی قوتِ ارادی نے یہاں بھی اسے زندہ رکھا اور وہ موت

کے منہ تک پہنچ کر لوٹ آیا۔

جب دو مہینے ہو گئے اور پھر بھی اس کی حالت کچھ زیادہ بہتر نہیں ہوئی تو یہ سوچ کر کہ تبدیلی آب و ہوا سے شاید اس کی طبیعت سنبھل جائے ڈاکٹروں نے اسے ہوائی جہاز کے ذریعے پام پہنچ جانے کی اجازت دے دی۔ تا کہ وہ اپنے کنبے کے ساتھ کچھ دن گزار سکے۔ لیکن فلوریڈا کی گرم آب و ہوا اور رشتے داروں کے قرب سے بھی اسے کچھ فائدہ نہیں ہوا۔ چنانچہ فروری میں وہ ایک اور آپریشن کے لئے واشنگٹن لوٹ آیا۔ اس بار آپریشن کامیاب ہوا۔ اس کے بعد ایک بار پھر تکلیف دہ طویل مہینوں کا سلسلہ شروع ہوا۔ جن کے دوران میں جیک کو بستر ہی پر لیٹے رہنا پڑا۔ لیکن اب کے مکمل صحت یابی کی امید بندھ گئی۔ تیزی سے اس کی طبیعت سنبھل گئی اور اس کی قوت لوٹ آئی۔ آخر کار وہ مسکراتا ہوا اپنے کمرے سے باہر نکلا اور اپنے گھر کے لئے روانہ ہوا۔ اپنی قوتِ ارادی، استقلال اور ہمت کے ساتھ جیک کینیڈی نے ایک خطرناک، تکلیف دہ بیماری کا مقابلہ کیا تھا اور اسے شکست دی تھی۔ اس نے اپنی زندگی کے ساتھ جوا کھیلا تھا اور جیت گیا تھا۔ یہ احساس اس کے لئے بڑا ہی مسحور کن تھا!

تھوڑی سی مدّت کے لئے جیک، سینیٹ واپس نہ جا سکا۔ اس کی پیٹھ کا زخم تیزی سے بھر رہا تھا۔ لیکن وہ سیاسی اُلجھنوں کا مقابلہ کرنے کے لئے ابھی خاصا کمزور تھا۔ ڈاکٹروں نے مشورہ دے رکھا تھا کہ اسے اور چند مہینے مکمل طور پر آرام کرنا چاہیے۔ لیکن جیک اُن سے متفق نہیں تھا۔ اسے تو یہ خاموشی پاگل کر دیتی۔ اس نے اب صرف ایک موضوع کے بارے میں سوچنا شروع کیا تا کہ وہ اپنے ذہن کو مصروف رکھ سکے۔

اس نے جنگ کے زمانے میں جو تجربے حاصل کئے تھے، امن کے بعد جو سیاسی تجربے اسے ہوئے تھے اور اب بیماری کے دوران کے تجربے ___ سب نے اسے یہ احساس دلایا تھا کہ جرأت معمولی چیز نہیں ہے۔ وہ ہمیشہ ایک ہی سا روپ نہیں اختیار

کرتی۔ دنیا میں جتنی قسم کے انسان ہیں، جرأت کے بھی اتنے ہی روپ ہیں۔ لیکن اس کا جو بھی روپ ہو، یہ ہے بہت ہی اچھی چیز، نہایت ہی قابلِ احترام جذبہ۔ جوں جوں اس کے خیالات مربوط ہوتے گئے اس نے سیاسی جرأت کے بارے میں سوچنا شروع کر دیا ____ وہ جذبہ جس کے تحت انسان سب کچھ کھو دینے کا خطرہ مول لے سکتا ہے۔ لیکن پھر بھی اپنے عقائد اور اپنے عزائم پر ثابت قدم رہ سکتا ہے۔

اب اس نے دوبارہ لکھنے لکھانے کا فیصلہ کر لیا۔ اب اس کے پاس فرصت کے بے شمار لمحات تھے۔ اس نے بہت سی کتابیں منگوائیں سینیٹ میں اس کے مددگار تھیوڈور سورینسن (Thoedore Sorenson) نے سارے واشنگٹن کی خاک چھان کر جیک کے لئے ایسی دانوں کی کتابیں خریدیں جن میں یہ بتایا گیا تھا کہ کسی بھی اہم مسئلہ کے حل کے لئے ابتدائی دَور کے امریکی لیڈروں نے کس طرح جرأت سے کام لیا تھا۔ اس نے بستر پر لیٹے ہی لیٹے ان تاریخی واقعات کا مطالعہ کیا اور اس طرح اس کے ذہن میں ایک کتاب کا خاکہ تیار ہونے لگا۔

جیک نے اس کتاب کا نام ''پروفائلز ان کریج'' (Profiles in Courage) رکھا۔ اس کی اشاعت کے ساتھ اس کی دھوم مچ گئی اس میں ایک صحافی کی دوربین اور دوررس نگاہوں کی مدد سے معمولی سی معمولی بات پر غور کیا گیا تھا اور اس کے بعد اس پر قلم اٹھایا گیا تھا۔ اس میں بہت سے عظیم امریکی رہنماؤں کا ذکر تھا۔ یہاں سام ہوسٹن (Sam Houston) تھے۔ جو جمہوریہ ٹیکساس کے پہلے صدر تھے اور امریکہ سے الحاق کے بعد ریاست ٹیکساس کے گورنر بنے تھے۔ جب ٹیکساس نے امریکہ سے علیحدہ ہونے کی کوشش کی تھی تو ہوسٹن ہی نے اس خطرناک رجحان کا ڈٹ کر مقابلہ کیا تھا۔ یہاں ڈینیل ویبسٹر (Daniel Webster) بھی تھے جنہوں نے ملک کی محبت پر اپنا سب کچھ قربان کر دیا تھا، اور ایڈمنڈ جی راس (Edmund G. Ross) بھی

تھے جو کینیسس کی طرف سے سینٹ میں نمائندہ تھے اور آج لوگوں نے انہیں بُھلا دیا ہے۔ انہوں نے اپنے اصولوں کی خاطر کانگریس میں صدر انڈریو جانسن (Andrew Johnson) کے خلاف ووٹ دینے سے انکار کر دیا تھا۔ ان کی رائے صدر کو اقتدار سے محروم کر سکتی تھی۔ اپنے اس طرزِ عمل کا خمیازہ انہیں اس طرح بھگتنا پڑا کہ وہ خود اپنے سیاسی مستقبل سے ہاتھ دھو بیٹھے۔ اس کتاب میں ایسے بہت سے واقعات کا ذکر تھا جن میں اُن لمحات پر روشنی ڈالی گئی تھی جو تاریخ کا رخ موڑ سکتے تھے۔

کتاب، اشاعت کے ساتھ ہی مشہور ہوگئی۔ اسے ہاتھوں ہاتھ لیا گیا اور نقادوں نے بہت سراہا۔ جلد اسے ملک کے مشہور اعزاز، پولیٹزر انعام (Pulitzer Prize) کا مستحق قرار دیا گیا۔ اس کی مقبولت کو دیکھتے ہوئے اس کا ایک خاص ایڈیشن بچوں کے لئے نکالا گیا۔ یہ بھی بہت مقبول ہوا۔

اس کتاب نے، ایک سینیٹر کی حیثیت سے بھی جیک کو بڑی شہرت بخشی۔ وہ اب صرف ایک ریاست کا نوجوان سینیٹر نہیں تھا، بلکہ اور بہت کچھ بھی تھا۔ اس نے جنگ میں شجاعت کا ثبوت دیا تھا۔ سیاسی مہموں میں بھی اس نے اپنی برتری کا ثبوت دیا تھا۔ بیماری میں اس نے بڑے صبر کا ثبوت دیا تھا اور اپنی قوتِ ارادی سے شفا حاصل کی تھی، اور اب اس نے سیاسیات پر ایک بہت اچھی اور مقبول عام کتاب کے مصنف کی حیثیت سے بھی شہرت حاصل کر لی تھی۔ اس نے اپنی کتاب میں لکھا تھا ___ ''جب کسی سیاست داں کو نہ عوام سے محبت ہوتی ہے اور نہ اپنے آپ سے، یا جب اسے کسی کام سے صرف اس لئے لگاؤ ہوتا ہے کیونکہ یہ اہم ہے تو اس سے عوام کے مفاد کی مناسب دیکھ بھال نہیں ہوتی۔ لیکن جب وہ اپنے آپ کو صرف اس لئے کہ اسے ہمت اور شجاعت یا جراٴت کی راہ اختیار کرنی ہے تو اس سے سب ہی کا بھلا ہوتا ہے۔'' آگے چل کر اس نے لکھا۔ ''آئندہ صرف وہی لوگ جو، ایک طاقت ور دشمن سے مقابلے

کے سلسلے میں ایسے جرأت مندانہ فیصلے کریں گے جن پر انہیں ایمان ہو، وہی کامیاب ہوں گے۔ اس لئے کہ دشمن یہ نہیں سوچتا کہ اس کے طرزِ عمل کے بارے میں عوام کی کیا رائے ہے۔ دشمن اپنے لوگوں کو کسی بات کے لئے بھی مجبور کرسکتا ہے۔ صرف جرأت ہی اس جذبہ کو زندہ رکھ سکتی ہے جس نے امریکہ کے قیام کو ممکن بنایا۔''

ایک نقاد نے جیک کینیڈی کی کتاب کے بارے میں لکھتے ہوئے کہا۔

''ایسی کتاب محض ماضی کی یادداشتوں کا مجموعہ نہیں ہوتی۔ یہ اس کے علاوہ بھی اور بہت کچھ ہے۔ یہ مستقبل کے لئے مشعل راہ ہے۔ یہ ایک ایسی منزل ہے جس کی تمنّا مستقبل کرسکتا ہے۔ یہ تو سینیٹر کینیڈی کے سامنے بھی بڑے عظیم مقاصد رکھتی ہے!''

جب جیک کینیڈی نے دوبارہ سینیٹ میں اپنی نشست سنبھالی تو اس کے ذہن میں غالباً صرف یہی ایک خیال ہوگا۔ یہ وہ خیال تھا جس کو الفاظ کا جامہ پہنانے کی ابھی اس میں ہمت نہ تھی اب تو خود اسے ان عظیم مقاصد کی تکمیل کے لئے آگے بڑھنا تھا جن کا اس نے اپنی کتاب میں ذکر کیا تھا، وہ منزلیں سر کرنی تھیں جن کی اس نے خود نشان دہی کی تھی۔ اگر وہ اس میں کامیاب ہو جائے تو یہ کامیابی اسے اُس راہ پر گامزن کردے گی جو راست امریکہ کے ایوانِ صدر تک جاتی تھی! اس نے دھڑکتے دل کے ساتھ سوچا ہوگا۔

نائب صدر بننے سے بچ گیا

یہ صحیح ہے کہ ''پروفائلز اِن کریج'' (Profiles in Courage) نے جیک کینیڈی کو پوری قوم سے روشناس کرایا۔ اس کے ساتھ ہی یہ بھی ہوا کہ 1954ء میں واشنگٹن لوٹ کر اس نے ایک قانون داں اور قانون ساز کی حیثیت سے بھی اپنی قابلیت کا سِکّہ جما دیا۔ جوں جوں اس کی شہرت بڑھتی گئی اخبار والوں نے اسے سینیٹ کے بہترین ارکان میں سے ایک قرار دیا۔

تاہم ووٹروں کے بڑے بڑے گروہ اب بھی اس سے پورے طور پر واقف نہیں تھے اور یہی رائے دہندگان ہی تھے جو مل جل کر امریکی تاریخ کا راستہ بدل سکتے تھے۔ اگرچہ میک کینیڈی بلند تر چیزوں کی طرف بڑھ رہا تھا لیکن ابھی اسے خاصا سفر طے کرنا تھا، کئی منزلیں سر کرنی تھیں۔

اس سلسلے میں سب سے دلچسپ اور کسی قدر حیران کن بات یہ ہے کہ جیک کینیڈی پوری قوم سے ایک اور سیاسی جنگ کے بعد بہتر طور پر روشناس ہوا۔ اس جنگ میں اسے شکست ہوئی تھی۔

1956ء کی ابتداء میں اسے اپنی ریاست میساچوسیٹس (Massachusetts) میں نمایاں کامیابی ہوئی۔ اسے اُن سولہ ریاستی ووٹ کی حمایت حاصل ہوگئی جو ڈیماکریٹک پارٹی کے بڑے اجلاس میں ریاست میساچوسیٹس کے حصے میں آنے والے تھے۔

خدا خدا کر کے جون کا مہینہ آ گیا۔ شکاگو میں ڈیما کریٹک پارٹی کا بہت بڑا اجلاس ہوا جس کا نام پارٹی کنونشن (Convention) تھا۔ اس میں ملک بھر کے ہزاروں سیاسی نمائندوں نے شرکت کی۔ ڈیما کریٹک پارٹی کے ان حامیوں کو انتخاب کے لئے صدر اور نائب صدر کے عہدوں کے لئے جماعتی امیدوار نامزد کرنے تھے۔ ہر ایک کو یقین تھا کہ یہ نمائندے لازمی طور پر الی نوائے (Illinois) کے سابق گورنر اڈلائی اسٹیونسن کو صدارتی امیدوار کے طور پر نامزد کریں گے۔ اسٹیونسن نے 1952ء کے انتخابات میں جنرل آئزن ہاور کا مقابلہ کیا تھا اور وہ ہار گئے تھے۔ اگر اب دوبارہ انہیں کوشش کرنی تھی تو اس صورت میں انہیں ایک نئے امیدوار کی ضرورت پڑتی جو نائب صدر کے عہدہ کے لئے ان کے ساتھ مل کر انتخاب لڑتا۔ اس سلسلے میں عام طور پر جیک کینیڈی کا نام لیا جا رہا تھا اور لوگوں کا خیال تھا کہ وہ اس عہدہ کے لئے بہترین شخص تھا۔

لیکن جیکؔ اس سلسلے میں بالکل خاموش تھا۔ اس کے باپ کا خیال تھا کہ اسے نائب صدر بننے کی کوشش نہیں کرنی چاہئے۔ انہوں نے کہا کہ شاید آئزن ہاور کے مقابلے میں اسٹیونسن کو اس بار بھی اسی طرح شکست ہو جائے جس طرح چار سال پہلے ہوئی تھی اور اس کے ساتھ ہی جیکؔ کو بھی لازمی طور پر شکست ہو گی۔ اس کے برعکس جیکؔ کے حامیوں کا خیال تھا کہ حالات اتنے مایوس کن نہیں تھے۔ اس لئے جیک کو کوشش ضرور کرنی چاہئے۔ کیونکہ اسٹیونسن کے کامیاب ہونے کی امید تھی۔ ان کا خیال تھا کہ اگر وہ کامیاب نہ بھی ہو تو بھی اس سے ایک فائدہ ضرور ہوتا کہ امریکی قوم، جیک کینیڈی کی شخصیت سے واقف ہو جاتی۔ اس زمانے میں وقت کا تقاضا بھی یہی تھا۔ بہت سوچ بچار کے بعد جیکؔ نے فیصلہ کر لیا کہ اگر اجلاس میں اس کا نام پیش کیا گیا تو وہ نامزدگی قبول کر لے گا۔

چنانچہ جب وہ شکاگو پہنچا تو اخباروں نے یہ خبر شائع کی کہ اس وقت تک اسٹیونسن نے کسی کو چنا ہی نہیں تھا۔ اب تک یہ ہوتا آیا تھا کہ عموماً صدارتی انتخاب میں حصہ لینے والا شخص، خود ہی اپنا نائب صدر نامزد کرتا اور دونوں ساتھ انتخاب میں مخالف پارٹی کے نامزد لیڈروں کا مقابلہ کرتے۔ اب شکاگو پہنچنے کے بعد جو سب سے بڑا سوال جیک کے سامنے تھا وہ یہ تھا کہ اسٹیونسن اس کے حق میں تھا یا اس کا مخالف؟

نامزدگی سے بارہ گھنٹے پہلے یکا یک جیک کو گورنر اسٹیونسن نے ٹیلیفون کیا اور پوچھا کہ پارٹی کے اجلاس میں وقت مقررہ پر کیا وہ ان کا نام پیش کریں گے؟ جیک نے حامی بھرلی۔

لیکن یہ واقعہ ان کے لئے خاصا پریشان کن تھا۔ انہیں صدمہ ہوا کیونکہ ان کی توقعات کو ٹھیس پہنچی تھی۔ جیک نے بڑی واضح طور پر اس کا مطلب سمجھ لیا۔ اس کے معنی یہ تھے کہ نائب صدر کے عہدے کے لئے ان کی نامزدگی کے امکانات نہیں تھے۔ اصول یہ تھا کہ جو نمائندہ صدر کے عہدے کے لئے کسی لیڈر کا نام پیش کرتا وہ خود کھڑا نہیں ہوسکتا تھا۔ دوسرے کسی عہدے کے لئے خاص طور پر نائب صدر کے عہدے کے لئے اس کا نام نہیں پیش کیا جا سکتا تھا۔ یہ ایک طرح کی روایت تھی جس کی پابندی ضروری تھی۔ اسٹیونسن نے اس سے درخواست کر کے، ایک طرح سے اس کے ساتھ عنایت کی تھی۔ اس کے ساتھ ہی اُسے موقع مل گیا تھا کہ وہ کسی اور کو اپنے ساتھ صدارتی مہم میں حصہ لینے کے لئے مدعو کر سکے۔

دوسرے دن لوگوں نے دیکھا کہ ڈیماکریٹک پارٹی کے اجلاس میں ہزاروں نمائندوں کے سامنے کھڑے ہو کر جیک نے اسٹیونسن کی حمایت میں یہ بتایا کہ اسٹیونسن ہی کو کیوں نامزد کرنا چاہئے۔ یہ تقریر کرتے ہوئے اس کے ذہن میں اپنے مستقبل کے بارے میں خیالات ضرور آئے ہوں گے۔ اڈلائی اسٹیونسن نے پارٹی

کے سامنے نام پیش کرنے کے لئے آخراسی کو کیوں چُنا تھا؟ اس کے سامنے ہزاروں چہرے تھے جو اسے دیکھ رہے تھے۔ اس سوال کا جواب ان کے چہروں پر نہیں تھا۔

اس تقریب کے بعد جیک کی نیوانگلینڈ کے مندوبین کے ایک گروہ سے ملاقات ہوئی۔ اس نے اعتراف کرلیا کہ اسے بالکل امید نہیں تھی کہ اسٹیونسن اسے اپنے نائب کی حیثیت سے انتخابی مہم میں حصہ لینے کے لئے نامزد کریں گے۔ مندوبین نے اسے گھیر رکھا تھا اور وہ بڑی دلچسپی کے ساتھ اس سے تبادلہ ءخیال کر رہے تھے۔ کئی نے پوچھا____ ''اس کے معنی کیا یہ ہیں کہ آپ اس دَوڑ سے دست بردار ہو رہے ہیں؟''

''نہیں۔'' جیک نے جواب دیا۔ پھر اس نے انہیں بتایا کہ اگرچہ اسے امید بہت کم تھی پھر بھی وہ اپنی کوشش جاری رکھے گا۔

دوسرے اسٹیونسن نامزد کردیئے گئے، اور انہوں نے ایک حیران کن بیان دیا۔ انہوں نے خلاف روایت یہ اعلان کیا کہ نائب صدر کی نامزدگی کے لئے یہ دَوڑ کھلی رہے گی۔ نمائندوں کی اکثریت جس کا نام پیش کرے گی وہ اسے قبول کرلیں گے۔ وہ تمام لوگ جن کی نامزدگی پر غور ہو رہا تھا انہیں قابلِ قبول تھے۔ ''خدا کرے سب سے اچھا شخص جیتے۔'' انہوں نے کہا۔ اس کے معنی یہ تھے کہ دَوڑ شروع ہوچکی تھی۔

اس رات کوشکاگو کا اجلاس بڑے زور شور سے جاری رہا۔ جیک اور اس کے حامیوں نے آخری بار زور لگایا تاکہ مندوبین جیک کو نائب صدر کے عہدہ کے لئے نامزد کرنے کا وعدہ کرلیں۔ یہ کام آسان نہیں تھا کیوں کہ انہیں ایسے مندوبین کو بھی ڈھونڈ ھ نکالنا تھا جو یا تو سو گئے تھے یا شہر سے باہر دعوتوں میں تھے۔ کیسی طویل رات تھی وہ۔ کبھی امید بندھتی اور کبھی مایوسی کے بادل اُمنڈ آتے۔

جب دوسرے دن رائے شماری شروع ہوئی تو جیک نے دیکھا کہ اس کا مقابلہ ٹینیسی کے سینیٹر ایسٹس کی فاور (Estes Kefaver) سے تھا۔ مقابلہ خاصا سخت تھا۔

کنونشن (Convention) ہال کھچا کھچ بھرا ہوا تھا اور جنگ جاری تھی۔ جیک نے یہ کش مکش، یہ رسّہ کشی بڑے سکون سے اپنے کمرہ میں بیٹھ کر ٹیلی ویژن سیٹ پر دیکھی۔ اس نے ٹیلی ویژن پر سیاسی لیڈروں کی پُر سکون گفتگو سنی اور ان کے تبادلہء خیال کا جائزہ لیا تو بڑی تیزی سے اپنی قوت اور صحیح مقام کا اندازہ ہو گیا۔ لیکن اس نے اپنی رائے کا کسی کے سامنے اظہار نہیں کیا، اور اسے اپنے ہی تک رکھا۔

مقررہ تعداد کے ووٹ حاصل کرنے کے لئے ایسے جلسوں میں کئی بار رائے شماری ہوتی ہے۔ دوسری رائے شماری میں جیک نے جیتنا شروع کر دیا۔ عین اس وقت نیویارک کے مندوبین نے اس کے حق میں رائے دینے کا فیصلہ کر لیا۔ ٹیکساس نے بھی اس کی حمایت کی۔ کامیابی حاصل کرنے کے لئے جیک کو مزید 68 ووٹوں کی ضرورت تھی۔ یہ دیکھ کر اس کے ساتھیوں میں جوش کی ایک لہر دوڑ گئی اور انہوں نے کامیابی کی امید میں چیخنا چلانا شروع کر دیا۔ جب کین ٹکی (Kentucky) نے بھی اس کی حمایت میں ووٹ دیئے تو مزید تیس کا اضافہ ہو گیا۔ اس پر ٹیڈ سورنسن (Sorensen) نے خوشی سے ہاتھ ملایا اور جیک کو مبارک باد دی۔

''نہیں نہیں ___ ابھی نہیں۔'' جیک نے جواب دیا اور وہ بڑی بے چینی سے ایک بار پھر ٹیلی ویژن دیکھنے لگا۔

جیک کی تیز نگاہوں نے حالات کا رخ بھانپ لیا تھا۔ اس نے تبدیلی دیکھ لی تھی۔ چند ہی لمحوں کے بعد مندوبین نے کی فاور کی حمایت شروع کر دی۔ جیک خاموشی سے سب کچھ دیکھتا رہا اور کی فاور کی ووٹوں کی گنتی بڑھتی گئی۔ یوں لگ رہا تھا جیسے اب یہ سیلاب رُک نہیں سکے گا۔ جیک کو اس کا احساس ہو گیا تھا لیکن اس کے چہرہ سے اس کا اظہار نہیں ہو رہا تھا، اور جب کی فاور کو کامیابی ہو گئی تو وہ اپنے ساتھیوں کی طرف مڑا اور آہستہ سے کہا ''چلو ___ اب چلتے ہیں۔''

پہلی بار اس نے ایک سیاسی جنگ ہاری تھی۔ لیکن اس کی کسی بات سے اس کا اظہار نہیں ہوا۔ وہ مسکراتا ہوا، بڑے اطمینان سے اجلاس میں داخل ہوا، اور سیدھا ہال کی پہلی صفوں کی طرف بڑھا ___ بالکل یوں جیسے اسے جیت ہوئی ہو۔ وہ مجمع کے سامنے مسکراتا ہوا کھڑا رہا۔ پھر اس نے ان تمام لوگوں کا شکریہ ادا کیا جنہوں نے اس کے لئے اتنی محنت کی تھی۔ اس نے ایک بار اور رائے شماری کے لئے درخواست کی تاکہ تمام ووٹ کی فاور ہی کے حق میں گنے جاسکیں۔

یہ کرتے ہوئے جیک نے جو کچھ کھویا تھا اس سے کہیں زیادہ پالیا۔ اسے خلاف توقع بہت فائدہ پہنچا۔ اکثر لوگوں کو یوں لگا جیسے وہ ایک ایسا نوجوان ہے جس سے مستقبل میں بہت سی امیدیں وابستہ کی جاسکتی تھیں۔ لاکھوں امریکیوں نے اسے ٹیلی ویژن پر دیکھا اور انہیں اس کا احساس ہوا کہ شکست کے بعد بھی اس کی کیا حالت تھی۔ انہوں نے دیکھا کہ ہارنے کے بعد اس نے کس طرح عوام کے فیصلے کو خندہ پیشانی سے قبول کیا تھا۔

سچ پوچھئے تو یہ ہار آخر کار اس کے لئے مفید ثابت ہوئی۔ جیک کے باپ کی پیشین گوئی ٹھیک ثابت ہوئی تھی۔ اسٹیونسن اور کی فاور نے نومبر 1956ء کے انتخاب میں آئزن ہاور کے ہاتھوں بُری طرح منہ کی کھائی اس طرح جیک ایک بڑی مایوسی سے بچ گیا۔ اگر وہ بھی اسٹیونسن کے ساتھ نامزد ہوجاتا تو ہاور کی ذمہ داری اس پر بھی عائد ہوتی۔ اس سے بڑے عہدہ کے لئے انتخاب لڑتے ہوئے اسے اچھا موقع نہ مل سکتا تھا۔ اگر وہ نائب صدارت کے لئے کھڑا ہوتا اور اسے شکست ہوتی تو آگے چل کر یہ ناکامی اس کے لئے بڑی نقصان دہ ثابت ہوتی کیونکہ وہ رومن کیتھولک تھا۔ اس سے یہ واضح ہوجاتا کہ قوم ایک کیتھولک کو صدر کے عہدہ کے لئے قبول کرنے کے لئے ابھی تیار نہیں تھی۔ اس کے چھوٹے بھائی نے بہت دنوں بعد کہا ___ ''یہ اچھا ہی ہوا

کہ جیک نائب صدر بنتے بنتے رہ گیا!''

شکاگو کنونشن کے بعد جیک کینیڈی نے بڑی فراخدلی سے کام لیتے ہوئے اپنی سیاسی جماعت کے نمائندوں اسٹیونسن اور کی فاور کی انتخابی مہم میں بڑھ چڑھ کر حصہ لیا۔ اس سلسلے میں وہ جہاں بھی گیا، اَن گنت امریکیوں سے ملا۔ یہ وہ لوگ تھے جو چند ہی مہینے پہلے اس کے بارے میں کچھ نہیں جانتے تھے۔

جب اڈلائی اسٹیونسن کو شکست ہوگئی۔ تو جیک کینیڈی نے محسوس کیا جیسے اب ملک کے سب سے اعلیٰ عہدے ___ صدارت کے لئے اس کے مواقع بہتر ہوگئے ہوں، اوراس کے حصول کے لئے اس نے کوشش شروع کردی۔

گھر میں، کنُبے والوں کے ساتھ

اگر کوئی یہ سوچے کہ کینیڈی خاندان کے لئے صرف سیاست اور انتھک کام ہی سب کچھ تھا تو یہ صحیح نہ ہوگا۔ گو کہ اس خاندان کے اکثر افراد اب جوانی کے حدود سے بھی آگے بڑھ گئے تھے، ایک دوسرے سے سبقت لے جانے کا جذبہ ان سب میں اب بھی باقی تھا۔

ایک دوست نے ان کے ہیانس پورٹ والے آبائی گھر میں چند دن گزارنے کے بعد بقیہ دوستوں کے لئے ایک دلچسپ مضمون لکھا۔ اس کا عنوان رکھا ــــــ ''جب کینیڈی خاندان کے مہمان بنو تو کیا توقع رکھو۔'' اس مضمون کے پہلے حصے کا عنوان تھا ــــــ ''رات کے کھانے کی میز پر۔'' کھانے کی میز پہ پہنچنے سے پہلے ضروری تھا کہ مہمان صاحب سیاسی خبریں اور تبصرے اچھی طرح پڑھ لیں۔'' اس کے علاوہ وہ یہ بھی ضروری ہے کہ وہ کھیل کود کے بارے میں تمام تازہ ترین خبروں اور دلچسپ کہانیوں کا مطالعہ کریں۔ وقت آنے پر ان سے اس کی بھی توقع کی جاسکتی ہے کہ وہ نت نئے لطیفے سنا کر حاضرین کو محظوظ کرسکیں۔ ان سے اور بہت کچھ بھی پوچھا جا سکتا ہے۔ کینیڈی کنُبے کا کوئی فرد اپنے خاندان کے کسی مرد یا خاتون کے لباس، بال، تازہ ترین کامیابی یا ٹینس کے کھیل کے بارے میں مہمان کی رائے پوچھ سکتا ہے۔ ان سوالوں کا جواب مختصر ترین دینا چاہئے۔

یہی دانش مندی ہے۔''

اس دستورالعمل کا دوسرا حصہ فٹ بال کے کھیل کے بارے میں تھا۔ اس کا عنوان تھا ___ ''فٹ بال کے میدان میں کس بات کی امید رکھنی چاہیے؟'' اس میں جیک کے دوست نے لکھا ___ ''کینیڈی خاندان کے ساتھ ٹچ فٹ بال کھیلنے سے بچنے کا ایک ہی طریقہ ہے۔ وہ یہ کہ آپ ان کے یہاں بالکل نہ جائیں۔ یا لنگڑاتے ہوئے وہاں پہنچیں یا پھر یہ طے کر کے وہاں جائیں کہ آپ کھانا ہمیشہ باورچی خانے میں کھائیں گے۔ اس سے بچنے کا ایک طریقہ اور بھی ہے، وہ یہ کہ سب سے آپ کی بول چال بند ہو۔''

آگے چل کر اس نے لکھا ___ ''آپ کے لئے ان لفظوں سے پوری واقفیت دانشمندی ہوگی جو ٹچ فٹ بال کھیلتے ہوئے استعمال کئے جاتے ہیں۔ اس کے بعد آپ وہاں سے واپس لوٹیں گے تو آپ کو یوں محسوس ہوگا جیسے آپ کا زیادہ وقت ہارورڈ میں گزرا ہے۔ اگر آپ عقلمند ہیں تو کھیل میں کبھی کپتان بننے کی کوشش نہیں کریں گے۔ کیونکہ یہ اعزاز تو صرف کینیڈی خاندان کے افراد کے لئے وقف ہے ___ ایک بات اور یاد رکھئے۔ آپ وہاں جو چاہے کریں لیکن اپنی مخالف ٹیم کی کبھی بُرائی نہ کریں کیونکہ اس کا تعلق بھی کینیڈی خاندان ہی سے ہوگا اور اس خاندان کے لوگوں کو ایسی باتیں ایک آنکھ نہیں بھاتیں۔''

اگر آپ یہ چاہتے ہیں کہ آپ کو وہاں کے لوگ پسند کریں تو آپ یہ ظاہر کیجئے کہ آپ نڈر ہیں اور کوئی چیز آپ کو نہیں ڈرا سکتی۔ انہیں یہ بات پسند آئے گی۔ اگرچہ یہ کرنا آسان تو نہ ہوگا۔ اگر آپ روزانہ ہر کھیل کے بعد منہ کے بل ضرور گریں تو اس سے آپ کو اور زیادہ مقبول ہونے میں مدد ملے گی۔

سچی بات تو یہ ہے کہ آپ کے لئے بہتر یہ ہوگا کہ آپ ان کے گھر کا رُخ نہ

کریں، اور اگر جانا ہی پڑے تو دانشمندانہ بات یہ ہوگی کہ آپ اپنی زخمی ٹانگ کو کرسی پر رکھیں، چین سے ایک طرف بیٹھ کر دور سے کینیڈی خاندان کو ٹچ فٹ بال کھیلتے دیکھیں اور دیوانہ وار چیخ چیخ کر باآبی یعنی رابرٹ کینیڈی کی ٹیم کی حوصلہ افزائی کریں!

صدر بننے کے لئے ابتدائی جدوجہد

''کوئی بھی رومن کیتھولک، چاہے وہ کتنا ہی قابل کیوں نہ ہو، ہمارے اس عزیز وطن کا صدر کبھی نہیں بن سکتا۔'' یہ بیان امریکہ کے کیتھولک چرچ کے ایک مشہور رہنما نے سینیٹر کینیڈی کی صدارتی مہم سے چودہ سال پہلے دیا تھا۔ 1960ء میں بھی بہت امریکیوں کی یہی رائے تھی، اور وہ اس میں یقین بھی رکھتے تھے۔

بتیس سال پہلے بھی ایک ایسے ہی کیتھولک امریکی نے صدارتی انتخاب لڑا تھا اور شکست کھائی تھی۔ ان کا نام آل سمتھ (Al Smith) تھا اور ان کا تعلق نیویارک سے تھا۔ تاہم بعض امریکی سیاستدانوں کا خیال تھا کہ امریکی عوام کی ذہنیت 1960ء تک بہت بدل چکی تھی۔ لیکن یہ ثابت کرنا آسان نہیں تھا کیونکہ امریکہ میں بعض علاقے ایسے بھی تھے جہاں کی رائے عامہ ایک کیتھولک صدر کے خلاف تھی۔

جیک کینیڈی کو احساس تھا کہ اس کے لئے صدر چنا جانا مشکل تھا۔ خود اس کی اپنی پارٹی کی طرف سے نامزد ہونا بھی مشکل نظر آرہا تھا۔ مذہب سب سے بڑی رکاوٹ تھا۔ دوسری رکاوٹ اس کی عمر تھی۔ اگر وہ انتخابات میں کامیاب ہو جاتا تو وہ امریکہ کا سب سے کم عمر صدر ہوتا۔ ایک دوسری دقّت اور بھی تھی۔ ایک سینیٹر کی حیثیت سے وہ صدارتی انتخاب لڑ رہا تھا۔ اب تک صرف ایک ہی سینیٹر نے، سینیٹ کا رکن ہوتے ہوئے صدارتی انتخاب جیتا تھا۔ اس کا نام وارن ہارڈنگ تھا۔ سینیٹ کا کام

ہی ایسا تھا کہ وہاں رہ کر اسے اپنے طور پر بہت سے مسئلوں کے بارے میں خود ہی فیصلے کرنے پڑتے تھے۔ ان فیصلوں کی نوعیت ایسی تھی کہ عموماً ان سے عوام کو اتفاق نہیں ہوتا تھا۔ اس کے معنی یہ تھے کہ عوام سے ووٹ حاصل کرنے کے امکانات میں کمی ہو جاتی تھی۔

جیک کینیڈی، آل اسمتھ سے بہت مختلف تھا۔ اسمتھ ایک غریب گھرانے سے تعلق رکھتا تھا اور صرف اپنی کوششوں سے اس نے ترقی کی منزلیں طے کی تھیں۔ اس کے بول چال کا انداز بالکل نیویارک والوں کا سا تھا، جس سے امریکہ کے دیہاتوں اور چھوٹے شہروں میں رہنے والے عوام مانوس نہیں تھے۔ گو کہ اسمتھ بذات خود بڑا نیک، شریف اور قابل شخص تھا لیکن اس کا نیویارک کے ایک بڑے طاقتور سیاسی گروہ سے تعلق تھا جو ٹامنی ہال (Tommany Hall) کہلاتا تھا اور جس کے مقاصد مشکوک تھے۔

اس کے برعکس جیک کینیڈی کروڑ پتی تھا۔ وہ خوش شکل بھی تھا اور خوش گفتار بھی۔ اس نے ملک کے بہترین تعلیمی اداروں میں تعلیم حاصل کی تھی۔ جنگ میں نمایاں کارنامے انجام دیئے تھے۔ وہ اچھا مقرر بھی تھا اور ادیب بھی۔ سب سے اہم یہ کہ سینیٹ میں اس کا ریکارڈ بہت اچھا تھا۔ اس نے بارہا مزدوروں، کسانوں اور غریب طبقے کے مسائل کے حل کے سلسلے میں ان کے مطالبوں کی حمایت کی تھی۔ اس کی سیاسی تاریخ قابل ستائش تھی۔

اب رہ جاتا تھا اس کی عمر کا مسئلہ۔ اگر اس کی مخالف پارٹی رچرڈ نکسن کو جن کی عمر 47 سال تھی، نامزد کرنے والی تھی تو اس کی نسبت سے تینتالیس (43) سالہ جیک کینیڈی کوئی بہت کم عمر تو نہ تھا۔

تمام پہلوؤں سے حالات کا جائزہ لینے کے بعد جیک نے سوچا کہ نامزدگی کی

امید صرف اسی وقت بندھ سکتی ہے جب وہ اپنی سیاسی جماعت کے ارکان پر اپنی قابلیت اور موزونیت کی دھاک بٹھا سکے، اور یہ ثابت کر سکے کہ وہ صدارت کے لئے ملک بھر میں سب سے بہتر امیدوار ہے۔

چنانچہ اس نے بالکل اسی طرح جس طرح 1952ء میں سینیٹ کے لئے اور 1946ء میں کانگریس کے لئے وقت سے پہلے انتخابی مہم شروع کی تھی، اب کے بھی اپنی مہم کا آغاز کر دیا۔ اس طرح اسے ملک کے لاکھوں، کروڑوں عوام سے انتخابات سے بہت پہلے ملنے کا موقع مل گیا۔

اس نے اپنی انتخابی مہم شروع ہی کی تھی کہ اسے بہت سے مشکل مسائل کا سامنا کرنا پڑا۔ ان میں ایک مسئلہ نسلی امتیاز کا بھی تھا جس نے بعض علاقوں میں بڑی خطرناک صورت اختیار کر لی تھی۔ خاص طور پر جنوبی علاقوں میں جہاں وفاقی حکومت نے اس جذبہ کو طاقت سے دبانے کی کوشش کی تھی۔

دوستوں نے جیکؔ کو مشورہ دیا کہ وہ جنوبی ریاستوں کا دورہ نہ کرے۔ اس سے فائدہ سے زیادہ نقصان کی امید تھی۔ لیکن بہت سوچ بچار کے بعد جیکؔ نے اپنا دورہ جاری رکھنے کا فیصلہ کیا۔ یہ اس کے لئے کوئی نئی بات نہیں تھی۔ اس سے پہلے بھی اس نے ان چیزوں کے لئے جدوجہد کی تھی جن کے بارے میں لوگوں کا خیال تھا کہ وہ بڑی خطرناک ہیں۔ دوستوں کے مشورہ کو نظر انداز کرتے ہوئے وہ مسی سی پی گیا۔

جب وہ وہاں پہنچا تو مقامی اخباروں نے ریاست کی ریپبلکن پارٹی کے صدر کا ایک بیان شائع کیا جس میں یہ سوال کیا گیا تھا کہ کیا جیکؔ کینیڈی، اسکولوں میں نسلی امتیاز کو ختم کر دینے کے بارے میں کھلے بندوں اپنی رائے کا اظہار کریں گے؟ کیا ان میں اس موضوع پر اپنے خیالات کا اظہار کرنے کی جرأت تھی؟

اسی دن وہاں ایک بڑا جلسہ ہوا۔ جب جیکؔ تقریر کے لئے اٹھا تو سینکڑوں

نگاہیں بہت سی توقعات لئے، اس پر مرکوز تھیں۔ شروع میں اس نے جو کچھ کہا اسے لوگوں نے خاموشی سے سُنا اور کسی قسم کے جذبہ کا اظہار نہیں کیا۔ پھر اس نے براہِ راست ریپبلکن پارٹی کے صدر کے سوال کا جواب دیا۔ اس نے کہا ___ ''میں آپ کو بھی وہی جواب دینے کے لئے تیار ہوں جو میں نے اپنے شہر بوسٹن کے شہریوں کو دیا تھا۔'' وہ یہ تھا کہ اس نے سپریم کورٹ کے فیصلے کو قبول کر لیا تھا۔ کیونکہ ملک کا قانون ہی یہی تھا ___ ''میرا خیال ہے آپ میں سے اکثریت کو مجھ سے اتفاق ہوگا کہ ملک کے ہر حصے میں قانون کی سربلندی اور نفاذ کی بڑی ضرورت ہے۔''

جیک لمحہ بھر کے لئے رُکا۔ ہال میں سناٹا تھا۔ سب چپ چاپ گوش برآواز تھے۔ اس کے بعد جیک نے کہا ___ ''اب میں آپ کی ریاست کے ریپبلکن پارٹی کے صدر سے یہ جاننا چاہوں گا کہ ان کی رائے آئزن ہاور اور نکسن کے بارے میں کیا ہے؟''

یہ سنتے ہی لوگوں نے خوشی سے تالیاں بجائیں وہ نعرے لگانے لگے۔ بعد میں جنوب کے کانگریس کے ایک رکن نے ایک نامہ نگار سے کہا ___ ''میں نے کبھی خواب میں بھی نہیں سوچا تھا کہ کوئی مسی سی پی جیسے شہر کے بیچوں بیچ کھڑے ہو کر نسلی امتیاز کے خلاف تقریر کرے گا، اور اس کے باوجود لوگ کھڑے ہو کر اس کے حق میں نعرے لگائیں گے۔'' وہیں ایک صحافی بھی جیک سے قریب کھڑا تھا۔ اس نے ایک نوجوان کو سنا جو ڈیماکریٹ تھا۔ اس نے جیک سے کہا ___ ''یہ سب تمہارے حق میں رائے دیں گے۔ کیتھولک دوست ___ اور ان میں سے ایک میں ہوں۔''

اس کے بعد انتخابات تک جیک نے دن رات محنت کی، سینکڑوں میل کا سفر کیا اور عوام کو یہ یقین دلانے کی کوشش کی کہ ایک کیتھولک بھی، دوسرے مذہبوں کے ماننے والوں کی طرح، قانون کا احترام کرے گا اور اگر وہ صدر چن لیا گیا تو وہ تمام وعدے پورے کرے گا جو اس نے امریکی عوام سے کئے تھے۔

ایک بار اخباری نمائندے اس سے سوالات کرنے لگے۔ ایک نے پوچھا ــــــ ''فرض کیجئے اگر آپ کو مجبوراً آپ کے چرچ کے تقاضوں اور ملک کے مفادات میں سے کسی ایک کو قبول کرنا پڑے تو بتایئے آپ کس کو ترجیح دیں گے؟'' اس کا جواب کینیڈی نے یہ دیا کہ اسے ایسا کوئی مرحلہ نظر نہیں آتا جہاں اسے اس قسم کے امتحان سے گزرنا پڑے۔ لیکن اگر ایسا ہوا تو فیصلہ کرنے کا حق اسی کو ہو گا کیونکہ اس کا چرچ کبھی احکام جاری نہیں کرتا۔ یہ اس طرح کام ہی نہیں کرتا۔ اس نے کہا۔ ''میں کانگریس میں دس سال سے ہوں اور ایسا موقع کبھی نہیں آیا۔ عام طور پر لوگ سمجھتے ہیں کہ کیتھولک اپنے چرچ سے احکام حاصل کرتے ہیں۔ سچی بات یہ ہے کہ وہ ایسا نہیں کرتے ــــــ کم از کم میں ایسا نہیں کرتا!''

اس نے انہیں سمجھایا کہ وہ کوئی ایسا قدم اٹھا ہی نہیں سکتا جس سے یہ معلوم ہو کہ وہ قومی خدمات پر مامور نہیں ہے۔ صدر بننے کے بعد یہ اس کا فرض ہو جائے گا کہ وہ صرف وہی قدم اٹھائے جو عوام کی بھلائی کے لئے ہوں ــــــ ''وہ عوام جنہوں نے اس کے حق میں رائے دی تھی ــــــ ساتھ ہی یہ بھی اس کا فرض ہو گا کہ وہ ملک کے قوانین کا احترام کرے اور ان پر کاربند رہے۔ اس کے معنی یہ تھے کہ بعض مسائل کے بارے میں اس کے اپنے نظریات، اپنے خیالات کچھ ہی کیوں نہ ہوں، اسے وہی کرنا ہو گا جس سے زیادہ سے زیادہ لوگوں کو فائدہ پہنچے۔ اس کی یہ باتیں لوگوں کی سمجھ میں آ گئیں کیونکہ وہ انہیں کی زبان میں بولنے اور اپنی بات سمجھانے کا عادی تھا۔''

نامزدگی

نومبر 1958 ء میں جان ایف کینیڈی ایک بار پھر امریکہ کی سینیٹ کا رکن چُن لیا گیا۔ اسے اپنے حریف سے آٹھ لاکھ ستر ہزار ووٹ زیادہ ملے۔ اس کے معنی یہ تھے کہ آج تک میساچوسیٹس کے کسی بھی نمائندے کو اتنے زیادہ ووٹ نہیں ملے تھے۔ اس شان دار کامیابی نے اسے بڑی شہرت بخشی، اور سارے ملک میں لوگ اس کے نام سے واقف ہو گئے۔

اس کے ساتھ ہی صدارتی انتخاب کے لئے مہم تیز تر ہو گئی۔ اس نے اور بہت سے لوگوں سے خطاب کیا۔ اس کے ساتھ کام کرنے والوں کی تعداد بھی بڑھتی گئی۔ ان تمام باتوں کا صرف ایک مقصد تھا ____ وہ یہ کہ صدارتی انتخاب کے سلسلے میں 1960 ء میں ہونے والے ڈیموکریٹک اجتماع میں اسے نامزد کر دیا جائے۔

اس دوران میں رابرٹ کینیڈی سے بھی لوگ خوب واقف ہو گئے تھے۔ اب وہ دن رات بڑے بھائی کی مہم کو تیز سے تیز تر کرنے میں لگا ہوا تھا۔ جوزف کینیڈی نے بھی بیٹے کی مدد کا بیڑا اٹھایا تھا اور اسی کی کوششوں سے نیویارک کے مندوبین نے جیک کے حق میں رائے دی تھی۔ اسی طرح کینیڈی خاندان کے تمام دوسرے افراد ____ ٹیڈی، پیٹ، جین اور یونیس سب ہی ہاتھ بٹا رہے تھے۔ دیکھتے ہی دیکھتے ملک کی اور بہت سی اہم اور غیر اہم شخصیتوں نے بھی کھلم کھلا جیک کی حمایت کا

اعلان کر دیا، اور سب اس کی مدد کو اٹھ کھڑے ہوئے۔ بقول اس کے ایک دوست کے ___ ''1946ء میں کانگریس میں شرکت کے لئے انتخابی مہم سے لے کر آخر تک اس نے تمام سیاسی جنگیں صرف اپنی انتھک محنت سے جیتی تھیں۔ مجھے تو یاد نہیں کہ کسی بھی سیاست داں نے کبھی اتنی محنت کی ہو یا اس کا ہاتھ بٹانے کے لئے اتنے بہت سے لوگ اُٹھ کھڑے ہوئے ہوں۔''

جیک نے ہر بنیادی دَوڑ میں حصہ لیا اور بڑے بڑوں کو مات دی۔ مثلاً وسکونسن میں پہلے اور اس کے بعد مغربی ورجینیا میں اس نے سینیٹر ہیوبرٹ ہمفری کو بری طرح شکست دی۔ بعد کے مقابلوں میں بہت سے مندوبین اس کے حمایتی بن گئے، اور یکے بعد دیگرے کئی سینیٹروں کو جیک کے ہاتھوں شکست کا منہ دیکھنا پڑا۔ صرف سینیٹ کے ڈیما کریٹک لیڈر لنڈن جانسن ہی ایک سیاست داں تھے۔ جن کے متعلق یہ خیال تھا کہ شاید وہ لاس اینجلس میں ہونے والے اجلاس میں ڈٹ کر مقابلہ کریں گے۔ لیکن پہلی ہی گنتی میں جانسن کو شکست ہوگئی اور ڈیما کریٹک پارٹی نے جیک کینیڈی کو صدارتی انتخاب لڑنے کے لئے اپنا نمائندہ چنا۔ بعد میں جیک نے جانسن کو اپنے نائب صدر کی حیثیت سے انتخاب لڑنے کی دعوت دی۔ یہ وہ عہدہ تھا جس کے لئے خود وہ صرف چار سال پہلے کامیاب نہ ہو سکا تھا۔

جماعتی اجتماع کے آخری دن جیک نے نامزدگی قبول کر لی، اور ٹیلی ویژن پر مندوبین اور دوسرے لاکھوں امریکیوں سے مخاطب ہوا۔ پچھلے چند مہینوں کی دَوڑ دھوپ نے اسے نڈھال کر دیا تھا اور اس کے دوستوں کی رائے میں اس نے اچھی تقریر نہیں کی۔ اسے ٹیلی ویژن کے پردہ پر دیکھ کر انہیں مایوسی ہوئی۔

تین ہزار میل دور، واشنگٹن میں ایک اور تھکے ہارے سیاستداں نے بھی بڑے

غور سے جیک کو دیکھا اور اس کی تقریر ٹی وی پر سنی۔ یہ رچرڈ نکسن تھے۔ انہوں نے سوچا کہ اس شخص کو شکست دینا کچھ زیادہ مشکل نہ ہوگا۔ دو ہفتے بعد شکاگو میں ریپبلکن جماعت نے نکسن کو اپنا صدارتی نمائندہ چنا۔ اس کے ساتھ ہی سیاسی جنگ اور انتخابی مہم کی رفتار اور تیز ہوگئی۔

کینیڈی جیت گیا

انتخاب کے وقت جیک کینیڈی کی عمر صرف 43 سال تھی۔ ریپبلکن سیاستدانوں کا کہنا تھا کہ جیک بہت کم عمر ہے۔ امریکی صدر اور آزاد دنیا کے ایک بڑے رہنما کی حیثیت سے کام کرنے کے لئے اس کے پاس کوئی خاص تجربہ نہیں ہے۔ ان کا اپنا نمائندہ، رچرڈ نکسن تھا جو عمر میں جیک سے بڑا تھا اور جنرل آئزن ہاور کے عہد صدارت کی حیثیت سے آٹھ سال تک کام کرنے کے بعد وہ سیاسی امور کا تجربہ بھی نسبتاً زیادہ رکھتا تھا۔

اس کا جواب کینیڈی کے حامیوں نے یوں دیا ___ جب یہ ملک عالم وجود میں آیا تھا تو اس کے قائدین کی اکثریت کی عمر چالیس سال کے لگ بھگ تھی۔ صدر ٹیڈی روزویلٹ (Teddy Roosevelt) کی عمر صرف 42 سال تھی جب قسمت نے انہیں، صدر ولیم میکنلی (William Mckinley) کی موت کے بعد نائب صدر بنا دیا۔ نکسن نے جتنے سال حکومت کی خدمت کی تھی اتنے ہی سال جیک نے کینیڈی نے بھی واشنگٹن میں قومی کام انجام دیئے تھے۔ دونوں نے ایک ساتھ 1946ء میں کانگریس کے رکن کی حیثیت سے اپنی سیاسی زندگی کا آغاز کیا تھا۔ آج امریکہ ایک اہم دوراہے پر کھڑا تھا۔ اسے ایک نوجوان صدر کی ضرورت تھی جو ملک کو ایک نئی شاہراہ پر ڈال سکے۔ یہ کام جو شخص کامیابی سے کر سکتا تھا وہ جیک کینیڈی ہی تھا۔

مہم شروع ہوئی تو جیک نے اپنے نامزد نائب صدر کے ساتھ ملک کا دورشروع کر دیا۔ ان کے مقابلے میں نکسن اور ہنری کیبٹ لاج تھے۔ لاج وہی شخص تھا جسے 1952ء کے سینیٹ کے انتخاب میں میسا چوسیٹس میں جیک نے شکست دی تھی۔

جیسے جیسے انتخابات کا دن قریب آتا گیا، کام کی رفتار تیز ہوگئی۔ پہلے ہر دن بارہ گھنٹے کام ہوتا تھا۔ اب چودہ سے سولہ گھنٹوں تک ہونے لگا۔ اتوار کو وہ گرجا، جایا کرتا۔ پھر کچھ دیر آرام کرتا اور ایک بار پھر کام شروع ہو جاتا___ منصوبے اور کام ہی کام!

آہستہ آہستہ مہم میں مذہب کو بھی شامل کر لیا گیا۔ مخالف پارٹی کے ارکان نے یہ سوال بھی اٹھایا۔ پہلے تو اس کا ذکر ہی آیا۔ بعد کو اعتراضات بھی شروع ہو گئے اور غم وغصہ کا بھی اظہار کیا گیا۔ اس سلسلے میں سب سے دلچسپ بات یہ تھی کہ دونوں حریفوں کا خیال تھا کہ سیاست میں مذہب کے لئے کوئی جگہ نہیں ہے یا یہ کہ سیاسی جنگ میں مذہب کے مسئلہ کو نہیں لانا چاہیے۔ مذہبی رہنماؤں نے یعنی کیتھولک اور غیر کیتھولک، سب ہی نے اپنے آپ کو اس جنگ سے دور رکھا۔ لیکن یہ حالت زیادہ دنوں تک نہیں رہی کیونکہ بعض دوسرے مذہبوں کے رہنماؤں نے، خصوصاً غیر کیتھولک نے عوام سے یہ کہنا شروع کر دیا کہ اگر کوئی کیتھولک امریکہ کا صدر بن گیا تو یہ ملک کے لئے بے حد خطرناک ہوگا۔

جیک کو اس سے بڑی تکلیف ہوئی اور وہ برق رفتاری سے ٹیکساس میں ہوسٹن گیا اور وہاں چرچ کے رہنماؤں سے مخاطب ہوا۔ اسے معلوم تھا کہ ٹیلی ویژن کیمرے اس کی تصویر اور تقریر دور دور تک پہنچا رہے تھے۔ اگر آج اسے یہاں مایوسی ہوئی اور وہ ان مذہبی رہنماؤں کی حمایت حاصل نہ کر سکا تو اسے اس علاقے سے بالکل ووٹ نہیں ملیں گے۔ یہی خیال اسے بار بار ستا رہا تھا۔

اُس نے وہاں پہلے پانچ صفحوں پر مشتمل ایک بیان پڑھا اور ایک بار پھر عوام کو

یقین دلایا کہ اگر وہ صدر چن لیا جائے تو اپنے فیصلے آپ کرے گا کیونکہ اس کا چرچ، قومی معاملوں میں نہ اس کی جانب سے کچھ کہے گا اور نہ ہی وہ چرچ کی جانب سے کچھ کہے گا یا کسی منصوبے پر عمل کرے گا۔ اس نے کہا کہ ہر موضوع کے بارے میں فیصلہ کرتے ہوئے وہ اس کا خیال رکھے گا کہ اس سے پوری قوم کو فائدہ پہنچے، اور اگر کبھی ایسا موقع آجائے جب اسے کسی وجہ سے ایسا قدم اٹھانا پڑے جو ملکی مفاد کے منافی ہو تو وہ صدارت کے عہدہ سے دست بردار ہو جائے گا۔

اس کے بعد کسی میں ہمت نہیں پڑی کہ وہ اسے کچھ اور کہنے یا سمجھانے کے لئے کہتا۔ کسی کو توقع نہیں تھی کہ وہ اتنی بہت سی اور اس نوعیت کی باتیں صاف صاف کرے گا۔ وہی لوگ جنہوں نے مذہب کی آڑ لے کر یہاں یہ ہنگامہ کھڑا کیا تھا وہ سب اس کے حامی ہو گئے اور بعض نے تو یہ کہہ دیا کہ اس سے بہتر وضاحتی بیان اور کوئی نہیں دے سکتا تھا۔

ابھی مہم کی ابتداء ہی ہوئی تھی کہ جیک نے نکسن کو ٹیلی ویژن پر مباحثے کی دعوت دی تا کہ بہ یک وقت لاکھوں ناظرین کو دونوں کی شخصیتوں اور سیاسی نظریوں کے بارے میں رائے قائم کرنے کا موقع مل جائے۔ نکسن کو اچھی طرح یاد تھا کہ لاس اینجلس میں ڈیموکریٹک اجتماع میں، ٹیلی ویژن پر جیک کینیڈی کی تقریر پھسپھسی سی تھی اس لئے وہ مباحثے کے لئے راضی ہو گیا۔

جب ٹی وی پر واقعی مباحثوں کا سلسلہ شروع ہوا تو شکاگو سے پیش ہونے والے پہلے ہی ٹی وی مباحثے سے جیک کا ستارہ عروج پر آ گیا۔ نکسن کے مقابلے میں، اس نے ناظرین کو زیادہ متاثر کیا۔ اس طرح اس نے ریپبلکن پارٹی کے اس اعتراض کو کہ وہ نو عمر بھی تھا اور ناتجربہ کار بھی بالکل ختم کر دیا۔

اسی دوران میں ایک واقعہ ہوا جس نے جیک کینیڈی کا پلہ بھاری کر دیا۔

جارجیا میں اٹلانٹا کے مقامی مشہور نیگرو رہنما ڈاکٹر مارٹن لوتھر کنگ نے اپنے سینکڑوں ساتھیوں کے ساتھ نسلی امتیاز کے خلاف تحریک شروع کر رکھی تھی۔ انہیں وہاں کے افسروں نے ایک بہانے سے گرفتار کر لیا کیوں کہ بقول ان کے، ڈاکٹر کنگ کے پاس ضروری کاغذات نہیں تھے اور وہ موٹر چلاتے ہوئے پائے گئے تھے۔ انہیں چار مہینے کی سزا ہوئی۔

اس کی اطلاع جیک کینیڈی اور اس کے حامیوں تک پہنچی تو انہوں نے فوراً کنگ اور ان کے ساتھیوں کا ساتھ دیا، اور نسلی امتیاز کے خلاف آواز بلند کی۔ اس موضوع پر ریپبلکن رہنما خاموش ہی رہے۔ اس کا نتیجہ یہ نکلا کہ جیک کو حبشیوں کے اَن گنت ووٹ ملے اور نکسن نے جنوبی اور شمالی دونوں علاقوں کے حبشیوں کی حمایت کھو دی۔

دیکھتے ہی دیکھتے جیک کینیڈی کی مقبولیت میں اضافہ ہوتا گیا۔ بہت سے مشہور نامہ نگاروں نے اس کے حق میں لکھنا شروع کر دیا۔ یہ وہ لوگ تھے جن کی رائے کو عوام اہمیت دیتے تھے۔ والٹر لِپ مین (Lippman) ایک مشہور صحافی اور نامہ نگار ہیں۔ انہوں نے بھی جیک کی سیاسی سوجھ بوجھ، ان کی پُرسکون طبیعت، جرأت اور دنیا کے سیاسی امور پر ان کا عبور ___ ان سب کی تعریف کی۔ انہوں نے یہ بھی لکھا کہ اعلیٰ تعلیم یافتہ ہونے کے ساتھ ساتھ طبیعتاً کینیڈی انسانوں کا صحیح رہنما ہے۔

آخری دنوں میں تو جیک نے اٹھارہ سے بیس گھنٹوں تک کام کیا۔ ہر جگہ اس نے سامعین سے درخواست کی کہ وہ اس کا ہاتھ بٹائیں اور نئی سرحدوں اور نئی منزلوں تک کے سفر میں اس کا ساتھ دیں۔ اخباری نامہ نگاروں کی ایک بڑی ٹولی ہر وقت اس کے ساتھ رہتی۔ وہ دن بھر میں بعض اوقات دو تین مرتبہ اپنے تاثرات اپنے اخباروں یا ایجنسیوں کو روانہ کرتے۔ جیک بعض اوقات دن بھر میں دس بار، دس مختلف مقامات پر تقریر کرتا۔ اس نے ہزاروں لوگوں سے ہاتھ ملائے تھے اور ایک دن تو اس کی انگلیاں

زخمی ہوگئی تھیں۔

آخرکار وہ اہم لمحہ، وہ مشہور دن آہی گیا جب اس کی قسمت کا فیصلہ ہونا تھا ___ 8-نومبر 1960ء ___ اس دن انتخابات ہوئے اور ڈٹ کر مقابلہ ہوا۔ کینیڈی خاندان کے تمام افراد ان کی ہیانس پورٹ والی کوٹھی میں جمع تھے۔ وہیں ان لوگوں نے ٹیلی ویژن پر یہ سیاسی دَوڑ دیکھی، اور رات بھر جاگ کر نتائج کا انتظار کیا۔

آخرکار، رات کے دو بجے نکسن، جو لاس اینجلس میں تھے، ٹیلی ویژن کے پردے پر نمودار ہوئے، انہوں نے مان لیا کہ حالات کچھ اچھے نہیں ہیں۔ پھر بھی انہوں نے ابھی امید کا دامن ہاتھ سے نہیں چھوڑا تھا۔ کبھی امید بندھتی تھی اور کبھی مایوسی چھا جاتی تھی۔ یہ سلسلہ صبح تک جاری رہا۔ دن کے دس بجے نکسن نے شکست کا اعترِاف کرلیا۔ اس کے ساتھ ہی جان ایف کینیڈی ریاستہائے متحدہ امریکہ کا صدر چُن لیا گیا۔

ایوانِ صدر (وہائٹ ہاؤس) میں

رائے شماری ہو چکی تھی۔ اس کے ساتھ ہی یکا یک جیک کینیڈی دنیا کا سب سے طاقتور انسان بن گیا تھا۔ اس کے دستخط، امریکہ کی برّی، بحری اور فضائی افواج کو، جس طرح وہ چاہے اس طرح کام پر لگا سکتا تھا۔ وہ نت نئے شہر بسا سکتا تھا۔ وہ انسان کو خلاء میں بھیج سکتا تھا۔ عہد حاضر کی سیاسی تاریخ میں اس سے پہلے کبھی کسی اتنے نوعمر انسان کے ہاتھوں میں اتنی زیادہ طاقت نہیں آئی تھی۔

اس نے 20- جنوری 1961ء کو اپنے عہدہ کا حلف اُٹھایا۔ اس سے پہلے اس نے کئی ایسے لوگوں کو چُنا جو ملکی فرائض میں اس کا ہاتھ بٹانے والے تھے۔ سردیوں کی ابتداء کے ساتھ برف پڑنے لگی۔ ان برفانی شاموں میں اس نے وقتاً فوقتاً اخباری نمائندوں سے ملکی اور غیر ملکی معاملوں پر باتیں کیں۔ ایسی ہی ملاقاتوں میں سے کسی ایک میں اس نے صحافیوں سے اپنی کابینہ کے ارکان کا تعارف کرایا۔ ان لوگوں کو حکومت کے مختلف شعبے سنبھالنے تھے اور ان کی سربراہ کی حیثیت سے کام کرنا تھا۔ ان کے نئے وزیر خارجہ ڈین رسک تھے۔ خارجی معاملوں کی نگرانی انہیں سونپی گئی تھی۔ اسی طرح وزیر دفاع کا نام رابرٹ میکنامارا تھا۔ یہ امریکی افواج کے نگراں کار تھے۔ اڈلائی اسٹیونسن جنہوں نے جیک کی انتخابی مہم میں بڑا کام کیا تھا، اقوامِ متحدہ میں امریکی سفیر مقرر کیے گئے تھے۔ جیک نے اپنی مخالف پارٹی کے ایک رکن کو بھی اپنی

کابینہ میں جگہ دی۔ یہ تھے ڈگلس ڈلن (Douglos Dillon) جنہوں نے ملک کی محبت کو اپنی سیاسی جماعت سے لگاؤ پر ترجیح دی تھی۔ انہیں وزیر خزانہ مقرر کیا گیا۔ جیک کا چھوٹا بھائی باؔبی کینیڈی ملک کا اٹارنی جنرل بننے پر راضی ہو گیا۔ اس کے ذمے ملکی قوانین کا تحفظ تھا۔ جیکؔ نے اور لوگوں کو بھی اپنی حکومت سے وابستہ کر لیا۔ حیرت انگیز بات یہ تھی کہ سب کے سب نوجوان تھے، جو شیلے تھے اور وطن کی خدمت کے جذبے سے سرشار تھے۔ اخباروں کی رائے میں جیک کینیڈی نے بڑے ہی قابل لوگوں کا انتخاب کیا تھا۔ کسی بھی نئے صدر نے ان سے زیادہ لائق وزیروں کو اپنی کابینہ میں کبھی جگہ نہیں دی تھی۔

ملک کے ہونے والے صدر کے سامنے اَن گنت مسائل تھے۔ بہت سے فرائض تھے۔ اس کے باوجود واشنگٹن میں کینیڈی کے گھر میں اب بھی اس سکون اور محبت کی گرمی تھی جس میں جیکؔ کی پرورش ہوئی تھی۔ اب وہ ننھی بچی کا باپ بھی تھا جس کا نام کیرولین تھا اور ایک بچہ کا بھی جو جان جونیئر تھا۔ ان کے گھر میں اکثر ہنستے کھیلتے بچوں کی آوازیں سنائی دیتیں۔ میاں صاحب کبھی شیخی کے موڈ میں ہوتے تو بیوی جیکولین، جو اب ملک کی خاتونِ اول بننے کے لئے تیار تھیں ـــــ شرارت سے ان کی ٹانگ گھسیٹتیں اور پھر یہ چھوٹا سا کنبہ مستقبل کے حسین خوابوں میں کھو جاتا جن میں ان کے اور ان کے بچوں کے لئے سکون ہوتا، خوشیاں ہوتیں اور دنیا بھر کی آسائشیں۔

بہت جلد امریکیوں نے اخباروں کے ذریعے اپنے نئے صدر کے بارے میں بہت کچھ جان لیا۔ قوم کو پتہ چل گیا کہ وہ روزانہ دس اخبار پڑھتا تھا، ہر ہفتے اور ہر مہینے وہ کیسی اور کونسی کتابیں پڑھا کرتا اور یہ کہ اسے اپنے خاندان سے، اپنی بیوی اور بچوں سے کتنا لگاؤ تھا اور وہ کس حد تک گھریلو انسان تھا۔ انہیں یہ بھی معلوم ہو گیا کہ نئے صدر نے اپنی تفریحی کشتی کا نام بدل کر، اپنے نانا کے نام پر ہانی فٹز (Honey Fitz) رکھ

دیا تھا جو کبھی بوسٹن کے مشہور لیڈر تھے۔

آخر عہدۂ صدارت کے حلف اٹھانے کا دن آ گیا۔ سردیوں کا زمانہ تھا اور جنوری کا مہینہ، اس دن جان ایف کینیڈی نے وہ عہد کیا، جو اقتدار سنبھالتے ہوئے تمام نئے صدر کرتے آئے۔ جیک نے صدارت کا عہدہ سنبھالنے کے بعد وہ مشہور تقریر کی جس نے اسے زندۂ جاوید کر دیا۔ امریکی تاریخ میں ایسی جامع اور متاثر کن تقریر بہت کم صدروں کی تھی۔ جو مختصر ہونے کے باوجود بڑی اہم تھی۔

آخر وہ کونسی خصوصیت تھی جس نے اس شخص کو یہ مقام عطا کیا؟ آخر وہ کیا بات تھی جس نے اس نوجوان رہنما کو اٹھارہ کروڑ امریکیوں اور آزاد دنیا کا لیڈر بنا دیا تھا؟ جو لوگ نوجوان صدر سے اچھی طرح واقف تھے، ان کا کہنا ہے کہ اس کی بہت سی وجوہات تھیں۔ اپنے کنبے سے محبت ایک وجہ تھی۔ مذہب پر پورا اعتقاد، دوسری وجہ تھی۔ ان کے علاوہ جرأت، دولت، ملک سے محبت، بلا کی ذہانت، مقابلوں سے فطری لگاؤ، غیر معمولی دلچسپی اور اشتیاق، اور انتھک محنت ___ یہ تھیں وہ خصوصیات جنہوں نے اسے عظیم بنایا۔ ان کے علاوہ بھی اور بہت کچھ تھا۔ صحیح نشو و نما میں یقین محکم، خود اپنے آپ پر اعتماد، یہ یقین کہ انسان جو چاہتا ہے وہ بن سکتا ہے، اور پھلتے پھولتے وہ اپنی زندگی آپ بنا سکتا ہے۔ یہ باتیں تھیں جنہوں نے قدم قدم پر اسے سہارا دیا۔ ان کا ایک دوست تھا جو کبھی ہارورڈ میں ان کا ہم جماعت تھا اس نے ایک بار کہا ___ ''جیک ترقی کی راہ پر کبھی نہ رُکا!''

حلف اُٹھاتے ہوئے جیک کے ذہن میں کون سے خیالات تھے؟ کیا وہ جنوبی بحرالکاہل میں موت سے اپنی کش مکش کے بارے میں سوچ رہا تھا یا ان طویل دنوں اور راتوں کے بارے میں جب وہ ہل بھی نہیں سکتا تھا اور ہر وقت بستر پر لیٹے رہتا تھا اور پھر ایک دن اُٹھ کر اس نے چلنے پھرنے کے لئے ایک خطرناک بیماری سے جنگ کی

تھی؟ یا پھر بچپن کے وہ دن جب وہ اپنے بھائی جو کے ساتھ اکثر سمندر کی سیر کو جایا کرتا، وہ عزیز بھائی جو آج اس کی خوشیوں اور اس کے اعزاز میں شرکت کے لئے یہاں موجود نہیں تھا؟

صدارت کا عہدہ سنبھالنے کے بعد صدر کینیڈی نے بڑی تیزی دکھائی اس نے کانگریس سے مطالبہ کیا کہ وہ جلد ایسے قوانین بنائے جن کی مدد سے وہ قوم کو ترقی کی اُس شاہراہ پر گامزن کرا سکے جس کا اس نے وعدہ کیا تھا۔ اسی طرح دوسرے ملکوں کی مدد کے لئے اس نے کانگریس سے زیادہ مالی امداد مانگی۔ اس نے فوجوں کی رفاہ اور بہبودی کے لئے بھی زیادہ رقم کا مطالبہ کیا۔ اس نے قوم سے مطالبہ کیا کہ وہ خلائی تسخیر کے پروگرام کو وسعت دے اور کام کی رفتار تیز کر دے۔ اس نے ایک نئی تنظیم کی ابتداء کی جس کا نام الائنس فار پروگریس (Alliance for Progress) رکھا۔ جس کا مقصد جنوبی امریکہ کے پڑوسی ملکوں کی امداد تھا۔ اسی طرح اس نے امن کی فوج (Peace Corps) قائم کی، جس کا مقصد دنیا کے بہت سے حصوں میں لوگوں کی امداد تھا، تا کہ وہ لوگ اپنی مدد آپ کر سکیں۔

صدر نے اپنی سیاسی سوجھ بوجھ اور ملکی غیر ملکی معاملوں پر عبور سے ہر ایک کو حیران کر دیا۔ یوں لگتا تھا جیسے وہ ہر ایک اخبار پڑھتا تھا۔ اس نے اپنی کابینہ کے لئے جن لوگوں کو چنا تھا اُن کی اکثریت کی عمر تقریباً 47 سال تھی۔ ان لوگوں کو اکثر صدر کی طرف سے ایسے مختصر سے نوٹس ملتے جن میں اُن معاملات کے بارے میں پوچھا جاتا جو چند ہی گھنٹے پہلے مختلف اخباروں میں شائع ہوئے تھے۔ نوعمر صدر نے سرکاری دفتروں کی کارکردگی کو بہتر بنانے کی بھی کوشش شروع کر دی۔ اس سے پہلے عموماً پوری کابینہ کے بڑے لمبے لمبے اجلاس ہوا کرتے تھے۔ اس نے یہ سلسلہ بھی ختم کر دیا۔ اس کے بجائے اس نے چھوٹے چھوٹے گروہ کے اجلاس اکثر بلوائے جس میں صرف چند

وزراء ہی شرکت کرتے۔

بعض اوقات وہ اپنے دفتر سے فون کر کے کانگریس کے کسی رُکن کو بلاتا یا فون ہی پر اسے دعوت دیتا کہ وہ جو سوال چاہے کرے۔ اس سلسلے میں ایک دلچسپ کہانی سنئے، جس سے بہت جلد واشنگٹن میں سب ہی واقف ہو گئے۔ ہوا یہ کہ ایک دن کانگریس کے ایک رُکن کو ایسا ہی ٹیلیفون ملا۔ اس نے ایک آواز سنی۔ ''ہیلو۔ میں جیک بول رہا ہوں!'' یہ سُن کر وہ صدر سے گفتگو پر راضی ہوا کیونکہ اس کا خیال تھا کہ کوئی اسے بے وقوف بنانے کے لئے مذاق کر رہا ہے۔

اسی زمانے میں یعنی جیک کینیڈی کے صدر ہونے سے پہلے ہی نسلی امتیاز اور شہری حقوق کے مسئلے خطرناک صورت اختیار کرتے جا رہے تھے۔ 1950ء کے وسط میں امریکی عدالتِ عالیہ نے یہ فیصلہ سنا دیا تھا کہ نسلی امتیاز ملکی آئین کے خلاف تھا۔ چنانچہ جہاں کہیں حبشیوں کے حقوق پامال کئے گئے ان لوگوں نے اس کے خلاف ہڑتالوں کے ذریعے احتجاج شروع کر دیا تھا۔ ان کا مقصد، قانون شکنی کے خلاف اپنے جذبات کا اظہار تھا۔ ملک کی باگ ڈور سنبھالنے کے بعد، ملک کا امن و امان برقرار رکھنے کے لئے، جب کبھی مداخلت کی ضرورت محسوس ہوئی، خاص طور پر مسی سی پی اور الاباما میں، نوجوان صدر نے امریکی فوج طلب کی۔ اس مداخلت کی وجہ سے ان ریاستوں کے گورنر بے حد خفا بھی ہوئے لیکن ان کی خفگی کی پروا کئے بغیر صدر کینیڈی نے حبشیوں کے حقوق کی حمایت میں قانوناً جو صحیح قدم تھا وہ اُٹھایا۔

صدارتی عہدہ سنبھالنے کے صرف تین مہینوں کے بعد نئے صدر نے ان منصوبوں پر عمل کیا جو ان کے انتخاب سے پہلے شروع ہو چکے تھے۔ ان کا تعلق کیوبا سے تھا۔ جب وہاں ایک اشتراکی حکومت برسرِ اقتدار آئی تو ہزاروں مقامی باشندوں نے جزیرہ کو خیر باد کہا اور امریکہ میں جلاوطنی کی زندگی قبول کر لی۔ اپنی قدیم روایات پر

چلتے ہوئے امریکہ نے خندہ پیشانی سے ان بے گھروں کو پناہ دی۔ یہ لوگ کیوبا کے کمیونسٹ لیڈر فیڈل کاسترو سے جنگ کر کے ان کے عزیز وطن کو اس کے چنگل سے آزاد کرانا چاہتے تھے۔ تاکہ وہ دوبارہ کیوبا واپس جا کر عزت کی زندگی بسر کر سکیں۔ صدر کینیڈی نے انہیں اس کی اجازت دے دی۔ اس کا نتیجہ اُن عظیم نقصانات کے روپ میں ظاہر ہوا جو ان لوگوں کو "بے آف پگس" (Bay of Pigs) میں ہوا۔ اسی کی وجہ سے وہ ملاقات بھی متاثر ہوئی جو کچھ ہی دنوں کے بعد ویٹنا میں ہونے والی تھی اور جس میں صدر کینیڈی کو روسی لیڈر خرشچوف سے ملنا تھا۔

صدر کو امید تھی کہ خرشچوف سے ملاقات کے بعد تقسیم شدہ شہر برلن کے بارے میں کسی مناسب سمجھوتے کی صورت نکل آتی۔ ویٹنا میں کسی مسئلہ کا بھی حل نہ نکل سکا۔ یہ دیکھتے ہوئے کہ مستقبل میں نام نہاد سرد جنگ کی کمی کے کوئی آثار نہیں تھے، صدر افسردہ ہو کر امریکہ واپس آئے۔ اب تو یوں لگ رہا تھا جیسے اگلے چند برسوں میں نت نئے فتنے سر اٹھانے والے ہوں۔ اگست 1961ء میں کمیونسٹوں نے یہ ثابت کر دیا کہ برلن کے بارے میں صدر کینیڈی کی توقعات کتنی صحیح تھیں۔ صدر کو یقین تھا کہ اس مسئلہ پر ایک بار پھر ہنگامے ہوں گے۔ کمیونسٹوں نے مشرقی برلن کے چاروں طرف ایک اونچی دیوار کھڑی کر دی تاکہ ان کے علاقے کے رہنے والے سرحد پار کر کے شہر کے آزاد حصے میں نہ داخل ہو سکیں۔

کیوبا کا جزیرہ، امریکی ساحلی ریاست فلوریڈا سے صرف نوے میل دور ہے۔ یوں تو پہلی بار کیوبا کے مسئلہ پر صدر کینیڈی کو ناکامی ہوئی، لیکن اس نے مستقبل میں انہیں اپنی قابلیت کے اظہار کا موقع دیا۔ اس مسئلہ نے یہ ثابت کر دیا کہ وہ ایک لائق رہبر بھی تھے۔

اس کی ابتداء خرشچوف کی بری رائے سے ہوئی جو اس نے کینیڈی کے بارے

میں قائم کی تھی۔ کیوبا کی مہم ناکام ہوئی تھی۔ برلن کی دیوار اب بھی یوں ہی، جوں کی توں سر اٹھائے کھڑی تھی اور اب روسی اکثر کمزور امریکہ کے بارے میں کھلم کھلا باتیں کرنے لگے تھے جن کا انداز تمسخر آمیز تھا۔

اسی دوران میں ایک اہم واقعہ ہوا۔ یہ 21-اکتوبر 1962ء کی بات ہے۔ اتوار کا دن تھا۔ واشنگٹن کے اردگرد یہ خبر گرم تھی کہ بعض نئے فتنے سر اٹھانے والے تھے۔ یوں لگتا تھا جیسے ان کا مرکز کیوبا ہی تھا۔ پھر یکا یک ایوان صدر، وہائٹ ہاؤس میں سے خبر ملی کہ صدر کینیڈی ٹیلی ویژن پر کسی نہایت اہم موضوع پر قوم سے خطاب کریں گے۔

اس دن لاکھوں ناظرین نے ٹیلی ویژن پر صدر کو دیکھا۔ ان کے چہرہ پر بڑا استقلال تھا۔ انہوں نے بڑے پُر زور الفاظ میں قوم کو بتایا کہ کمیونسٹ، کیوبا میں کس طرح خطرناک ہتھیار جمع کر رہے تھے۔ ظاہر ہے یہ ریاست ہائے متحدہ امریکہ کے لئے بڑی خطرناک بات تھی۔ امریکہ کو معلوم تھا کہ کیوبا نے روس سے میزائل بھی حاصل کر لئے تھے۔ بموں کی طرح کے یہ انتہائی خطرناک ہتھیار صرف نوّے سیکنڈ میں واشنگٹن پر حملہ کر سکتے تھے۔ تکلیف دہ بات یہ تھی کہ صرف چند دن پہلے روسی سفیر متعین واشنگٹن نے صدر کو یقین دلایا تھا کہ روس نے جو ہتھیار کیوبا کو دیئے ہیں ان کا مقصد صرف اس جزیرے کی حفاظت تھا۔ ظاہر ہے روسی سفیر نے جھوٹ بولا تھا۔ صدر کینیڈی نے صاف صاف کہا۔

''روسیوں کو اب ان دو باتوں میں سے کسی ایک کو چننا ہوگا۔ انہیں یا تو یہ میزائل کیوبا سے باہر لے جانے ہوں گے یا پھر امریکہ کی جوابی کاروائی کا مقابلہ کرنا ہوگا، کیوں کہ روس کے انکار پر امریکہ فوراً مناسب عملی اقدام اٹھانے پر مجبور ہو جائے گا۔''

صدر نے قوم کو یہ بھی بتایا کہ فی الحال کیوبا کے جزیرے کی نا کہ بندی امریکی بحریہ نے کردی تھی۔ اس کے معنی یہ تھے کہ کسی بھی غیر ملکی جہاز کو جس پر جنگی سامان اور اسلحہ ہوا سے کیوبا تک جانے کی اجازت نہیں تھی۔

صدر کینیڈی کا لہجہ کچھ ایسا تھا کہ سننے والوں پر یہ واضح ہو گیا کہ جو کچھ انہوں نے کہا تھا اس پر وہ مکمل طور پر عمل کرنے کا ارادہ رکھتے تھے۔ اس کے بعد پانچ دنوں تک ساری دنیا کی نگاہیں کیوبا پر لگی رہیں۔ یوں لگتا تھا، جیسے دنیا والے سانس لیتے ہوئے بھی ڈر رہے ہوں۔ ہر ایک سہمے سہمے سے انداز میں یہی سوچ رہا تھا کہ دیکھیں اب خرشچوف کیا قدم اٹھاتا ہے۔ اسی دوران میں صدر نے امریکی فوج کو تیار رہنے کا حکم دیا، تا کہ ضرورت پڑنے پر کیوبا میں داخل ہو سکے۔ اس کے ساتھ ساتھ ہزاروں امریکی بمباروں کو روس کی سرحدوں کے قریب متعین کیا گیا تا کہ روسی صاف طور پر انہیں دیکھ سکیں۔ اسی طرح امریکی بحریہ کی آبدوز کشتیوں کو، جن میں طاقتور میزائل لگے ہوئے تھے، حکم دیا گیا کہ وہ بھی دنیا کے سمندروں میں تیار کھڑی رہیں۔ انہیں ہر حالت میں دنیا کے امن کو برقرار رکھنا تھا۔ اسی دوران میں جنوبی امریکہ کی تنظیم سے تعلق رکھنے والے ملکوں کے نمائندوں کا ایک اہم اجلاس واشنگٹن میں ہوا۔ ایک دوسرے کے مفاد کے لئے مشترکہ کام کرنا ان کے اغراض و مقاصد میں شامل تھا۔ اس انجمن نے بھی ایک آواز میں صدر کینیڈی کے اقدام کی حمایت کا اعلان کر دیا۔

اب یہ خبریں بھی گرم تھیں کہ پچیس روسی بحری جہاز کیوبا کی طرف بڑھ رہے تھے۔ ان میں سے بعض پر میزائل بھی لدے ہوئے تھے۔ ان کا رُخ ابھی تک کیوبا ہی کی طرف تھا اور ان کے راستے ہی سے لوٹ جانے کی اطلاع نہیں آئی تھی۔ اس کے معنی یہ تھے کہ ان کی منزل ابھی تک کیوبا ہی تھی۔ اس کے ساتھ ہی دنیا بھر میں ہیجان بڑھنے لگا۔ آخر کار جمعہ 26۔ اکتوبر کو امریکی حکومت نے ایک بار پھر روس کو خبردار کیا

اور کہا کہ کیوبا کے ان فوجی اڈوں پر جہاں میزائل بٹھائے جا رہے تھے اگر فوراً کام روکا نہیں گیا تو امریکہ مجبوراً مداخلت کرے گا۔ ان اڈوں سے امریکہ پر میزائل برسائے جا سکتے تھے۔ اسی شام کو نو بجے خرشچوف نے اپنی شکست کا اعتراف کرلیا۔ اس نے ایک خط واشنگٹن بھجوایا۔ اس میں صاف صاف تو یہ نہیں کہا گیا تھا لیکن جو بات سمجھ میں آتی تھی وہ یہ تھی کہ روس نے کیوبا سے میزائل منتقل کرنے کی پیش کش کی تھی بشرطیکہ امریکہ اس کا وعدہ کرے کہ وہ کیوبا کے خلاف کوئی کارروائی نہیں کرے گا۔

اس پر وہائٹ ہاؤس نے اپنا جواب ماسکو بھجوایا۔ اس میں کہا گیا تھا کہ امریکہ، کیوبا کے خلاف کوئی قدم نہیں اٹھائے گا بشرطیکہ خرشچوف تمام میزائل جزیرہ سے نکال کر واپس لے جائے۔ روسی لیڈر نے اس کی حامی بھر لی۔ اس طرح جیک کینیڈی نے اشتراکیوں کا ڈٹ کر مقابلہ کیا اور کامیابی حاصل کی۔ یہ غالباً اس کی زندگی کے بہترین لمحے تھے۔

ایک خطرناک مسئلہ کا حل تو نکل آیا تھا لیکن دنیا کے اور بہت سے مسئلے تھے جو نوجوان صدر کے لئے پریشان کن بنے ہوئے تھے۔ ان کا اس کے نوعمر اور قابل کندھوں کو ابھی بوجھ اٹھانا تھا۔ چونکہ اب کیوبا کی جانب سے خطرہ ٹل گیا تھا، اس لئے مغربی یورپ کے ملکوں کے درمیان جو اتحاد بھی نظر آیا تھا وہ غائب ہوگیا تھا۔ اب ان کے تعلقات اتنے دوستانہ نہیں تھے۔ فرانس کے صدر چارلس ڈی گال نے دوسرے ملکوں کے احساسات کی پروا کئے بغیر اپنے ملک کو جنگی ساز وسامان سے لیس کرنے کا فیصلہ کرلیا تھا۔ برطانیہ اور جرمنی نے یورپ کو فوجی طور پر طاقت ور رکھنے کے وعدہ کو اب تک عملی جامہ نہیں پہنایا تھا۔ ایک طاقت ور فوج کی مدد سے اس کے تحفظ کا خواب بھی ابھی شرمندۂ تعبیر نہیں ہوا تھا۔ اس کے باوجود امریکہ نے اب بھی برلن کی مکمل حفاظت کی ذمہ داری قبول کر رکھی تھی۔ ایشیا میں بھی صورت حال ٹھیک نہیں تھی۔ وہاں

چینی کمیونسٹوں نے دو چھوٹے ملکوں پر قبضہ کرنے کی کوشش شروع کر دی تھی۔ ان ممالک کا نام لاؤس اور ویت نام تھا۔ کینیڈی کو اس بات کا بھی فیصلہ کرنا تھا کہ امریکہ کو ایشیا میں اشتراکیوں کے مقابلے کے لئے مالی امداد مہیا کرنی چاہئے یا نہیں۔ اس نے یہی فیصلہ کرلیا۔

ان پریشان کن عالم گیر مسئلوں میں گھرے رہنے کے باوجود، ان کا مقابلہ کرتے ہوئے صدر کینیڈی نے بعض دوسرے میدان سَر کیئے۔ غیر ملکی مصنوعات ملک میں آتی تھیں اور ان کی درآمد پر خاصی رقم صرف ہوتی تھی۔ اس نے کانگریس سے اس میں کمی کرنے کی اجازت حاصل کرلی۔ اس کے معنی یہ تھے کہ اب امریکہ یورپی مشترکہ منڈی سے تعلق قائم کرسکتا تھا۔ اس طرح اس کی راہ پر پہلا قدم اٹھا سکتا تھا۔ ان کامیابیوں میں کینیڈی کی غالباً سب سے نمایاں کامیابی وہ تھی جو اسے اشتراکیوں سے مذاکرات کے سلسلے میں ہوئی۔ اس نے انہیں اس پر راضی کرلیا کہ وہ خلاء اور فضا میں یا زیرِآب، جوہری بموں کے خطرناک تجربے کرنا بند کردیں۔ اس قسم کے تجربے یہ جاننے کے لئے کیئے جارہے تھے کہ یہ بم کس طرح پھٹتے ہیں۔

جوہری بموں کا اس قسم کا اندھا دھند استعمال، کچھ عرصے سے وہائٹ ہاؤس کے لئے خاصا پریشان کن بن گیا تھا۔ وہ ملک جو ایٹم بم کے راز سے واقف تھے، وہ تین سال کے لئے ایسے خطرناک تجربے بند کرنے پر راضی ہوگئے۔ اس کے بعد یہ ہوا کہ ستمبر 1961ء میں روسیوں نے یہ معاہدہ توڑ دیا۔ انہوں نے سائبیریا میں تاریخ کا سب سے بڑا جوہری بم چھوڑا۔ پھر انہوں نے فخریہ اعلان کیا کہ سویت یونین (Soiet Union) اب اتنا طاقت ور ہوگیا تھا کہ وہ ایک وقت میں کئی ملکوں کو صفحہ ہستی سے مٹا سکتا تھا۔

جب بھی ایسے ایٹمی تجربے ہوتے، فضا ایسے ذرّوں سے مکدّر ہوجاتی جو انسانی

زندگی کے لئے خطرناک تھے۔ چنانچہ ہر تجربہ اس خطرہ کو اور زیادہ بڑھا دیا کرتا کیونکہ یہ جوہری ذرّے فضا میں ہوا کی مدد سے دور دور تک پھیل جاتے۔ ان سے ہر طرح کی زندگی کو بے حد خطرہ پیدا ہو جاتا کیونکہ یہ سب کچھ نیست و نابود کر سکتے تھے۔

1961ء میں روسی اقدام کے جواب میں صدر کینیڈی نے بھی بڑے دکھ کے ساتھ امریکی سائنس دانوں کو حکم دیا کہ وہ بھی ایٹمی تجربے کریں۔ روسیوں کی ہٹ دھرمی کا یہی جواب ہو سکتا تھا۔ انہوں نے اعلان کیا۔ ''اب ہمارے لئے اس کے علاوہ کوئی چارۂ کار باقی نہیں رہا ہے!'' انہیں ڈر تھا کہ امریکہ اس خطرناک دُوڑ میں پیچھے نہ رہ جائے۔ انہوں نے کہا۔'' امریکی عوام اور دوسری آزاد قوموں کے تحفظ کی یہی ایک راہ رہ گئی ہے۔'' ایک مرتبہ انہوں نے ایک اخباری نمائندے سے کہا!

''یہ ہم نہیں ہیں جو اہم ہیں۔ دراصل یہ بچے ہیں جن کی اتنی اہمیت ہے!''

جون 1963ء میں صدر نے محسوس کیا کہ اب وہ وقت آ گیا تھا جب جوہری بم کے مسئلہ پر امن کی بات چیت ہو سکے۔ واشنگٹن کی امریکی یونیورسٹی میں تقریر کرتے ہوئے انہوں نے کہا کہ اب اس سلسلے میں پہل کرنے کی ضرورت ہے۔ انہوں نے ایک وفد روس بھیجا۔ جس کے صدر ایوریل ہیریمن (Averill Hariman) تھے۔ جو کبھی روس میں امریکی سفیر رہ چکے تھے ان کی کوششوں کی وجہ سے بہت جلد ایک سمجھوتے پر دستخط ہو گئے اور اس پر عمل بھی شروع ہو گیا۔

بیرونی مسائل کے سلسلے میں اتنی کامیابی کے باوجود، ملکی مسائل پریشان کن حد تک بڑھ رہے تھے۔ وہائٹ ہاؤس نے جن قوانین کو منظوری کی سفارش کی تھی ان کی اکثریت کو ستائیسویں کانگریس نے مان لیا تھا۔ اس کے باوجود، شمالی ریپبلکن پارٹی کے ایک گروہ اور بعض جنوبی ڈیماکریٹس نے کینیڈی کے سفارش کئے ہوئے بعض نہایت اہم قوانین کی منظوری کی راہ میں رکاوٹیں پیدا کر دیں۔ 1961ء اور 1962ء

میں کانگریس نے پبلک اسکولوں کی سرکاری امداد کے بارے میں اس کی رائے کی مخالفت کی تھی۔ اسی طرح جیک نے ایسے بوڑھوں کی امداد کی سفارش کی تھی جو بیمار تھے۔کانگریس اس پر بھی عمل کرنے سے قاصر رہی تھی۔ اسی طرح کانگریس اس کی بھی مخالف تھی کہ شہری مسائل کا حل ڈھونڈھ نکالنے کے لئے کابینہ ہی میں ایک افسر مقرر کیا جائے۔ امریکہ میں کسان بہت زیادہ غلّہ پیدا کیا کرتے۔ عموماً لوگوں کی ضرورت سے زیادہ غلّہ پیدا ہوتا۔ کینیڈی چاہتے تھے کہ کانگریس کوئی ایسا قانون پاس کرے جس کی رو سے کسان ملکی ضروریات سے زیادہ غلّہ نہ پیدا کرسکیں۔ ان کی اس مانگ کو بھی کانگریس نے ٹھکرادیا۔

جنوری 1963ء میں اٹھاسیویں کانگریس کا اجلاس شروع ہوا۔اس موقع پر صدر کینیڈی نے ملکی محاذ پر جنگ کی تیاری شروع کردی۔ انہوں نے کانگریس سے کہا کہ دو باتیں ایسی تھیں جو بے حد ضروری تھیں۔ ایک تو شہری حقوق کے بارے میں قانون تھا جس کی رو سے بلاامتیاز رنگ ونسل ہر ایک کو مساوی حقوق حاصل ہوتے۔ دوسرا قانون جو کینیڈی کی نظر میں بے حد ضروری تھا وہ ٹیکسوں میں کمی کے بارے میں ایک وسیع اور جامع منصوبہ تھا۔ٹیکس وہ رقم ہے جسے عوام اور تجارتی حلقے حکومت کو ادا کرتے ہیں تاکہ اس کے سہارے حکومت چل سکے۔

یہ دراصل شہری حقوق کا نیا مسئلہ ہی تھا جس نے صدر کینیڈی کے بارے میں لوگوں کی رائے بدل دی۔ قوم کو پتہ چل گیا کہ وہ کس قسم کا لیڈر تھا۔ شروع میں سب نے یہی سوچا کہ وہ ایک ایسا صدر ہوگا جس کا اوّلین مقصد یہ ہوگا کہ دوبارہ صدر منتخب ہو۔اس کے معنی یہ تھے کہ اسے اپنی پارٹی والوں سے ہر حالت میں سمجھوتہ کئے رہنا تھا۔شہری حقوق کے مسئلے سے خود کو دور رکھنا تھا اور یہ کہ لوگوں سے یہ کہنا تھا کہ وہ اس مسئلہ پر آہستہ آہستہ عمل کریں تاکہ جنوبی ریاستیں خفا نہ ہو جائیں۔ لیکن شہری حقوق

کے نازک مسئلہ نے یکا یک، بڑے زور شور کے ساتھ سر اٹھایا۔ وہ لوگ جو سفید فام امریکیوں کو حبشیوں سے برتر سمجھتے تھے ان لوگوں نے کالوں کے خلاف تشدد سے کام لینا شروع کر دیا۔ دیکھتے ہی دیکھتے صدر کینیڈی، حبشیوں کے حقوق کے لئے جدوجہد کرنے والا ایک سورما بن گیا۔ سچ پوچھئے تو عوام کے حقوق کے بارے میں اس کے نظریات نے اس کے سامنے اور بے شمار مسائل کھڑے کر دیئے۔ ابراہام لنکن کے بعد وہ واحد صدر تھا جسے ان حقوق کی حمایت میں اتنے بہت سے مسائل کا مقابلہ کرنا پڑا۔

صدر کینیڈی نے ان مسئلوں کا اسی ہمّت اور استقلال سے مقابلہ کیا جس کی قوم کو اس سے توقع تھی۔ اس نے ایک تقریر میں کہا۔ ''اب قوم کے لئے اپنے کئے ہوئے وعدوں پر عمل کرنے کا وقت آ گیا ہے ___ اب وقت آ گیا ہے کہ ہم عملی اقدام اٹھائیں ___ کانگریس میں، اپنی ریاست میں اور مجالس مقنّنہ میں ___ غرضکہ خود اپنی زندگی میں!''

آخر جان ایف کینیڈی نے ایسے مسئلہ کی حمایت کیوں کی جو بقول اس کے ساتھی ارکان، اسے اگلے انتخابات میں ہرا کر اسے مزید چار سال کے لئے صدر کے عہدے پر فائز رہنے سے محروم کر سکتا تھا۔ جس نے بھی یہ کتاب پڑھی ہے اسے اس سوال کا جواب معلوم ہو گا۔ اسی سوال کا ایک اور جواب اس کی تصنیف ''پروفائلز اِن کریج'' (جرأت کی ایک تصویر) میں مل سکتا ہے۔ اس میں کینیڈی نے لکھا تھا۔

''انسان وہی کرتا ہے جو اُسے کرنا ہوتا ہے۔'' کینیڈی نے وضاحت کی۔ ''وہ یہ کرتا ہے، اس سے لاپرواہ ہو کر کہ اسے نتیجے کے طور پر کیا کچھ بھگتنا ہو گا ___ یہ تو دراصل جرأتِ زندگی کا ایک حصہ ہے۔''

جان ایف کینیڈی نے شہری حقوق کے ایک مؤثر قانون کے لئے جدوجہد کی کیوں کہ اس انسان کو یہی کرنا تھا۔ اس کے نتائج بھی حسب توقع نکلے۔ کانگریس کے

جنوبی ریاستوں کے ارکان نے اس کی حمایت سے موڑ لیا۔ دوسری سیاسی جماعتوں میں جو لوگ اس سے متفق نہیں تھے اور نسلی امتیاز کے حق میں تھے، اُن لوگوں نے جان بوجھ کر اس قانون پر عمل کرنے سے گریز کیا اور اس کی رفتار دھیمی کر دی۔ بہت جلد سب پر واضح ہو گیا کہ صدر کینیڈی جن قوانین کو بے حد ضروری اور اہم سمجھتا تھا ان پہ عمل پیرا ہونے کے لئے قوم کو ابھی انتظار کی بہت سی گھڑیوں سے گزرنا تھا۔ بعد کو، 1964ء میں، ان مسائل کو دوبارہ قوم کے سامنے پیش ہونا تھا۔ اُس سال انتخابات جو ہوئے تھے اور ان میں اِن مسائل کے بارے میں قوم کو رائے دینی تھی۔

یہ وہ واقعات اور حالات تھے جن سے صدر جان ایف کینیڈی اس وقت دوچار تھے، جب 22- نومبر 1963ء کو، ٹیکساس میں، ڈالاس کے مقام پر انہیں گولی کا نشانہ بنایا گیا۔

کینیڈی کے دورِ حکومت کے بارے میں کوئی رائے کیسے قائم کی جا سکتی ہے۔ صدر کو ہمیشہ تاریخ سے دلچسپی تھی۔ ان کی خواہش تھی کہ انہیں ایک طاقت ور صدر کی حیثیت سے تاریخ میں مقام حاصل ہو ___ ایک ایسے جیالے صدر کی حیثیت سے جس میں بڑی جرأت ہو اور جو شجاعت کے جذبے سے مالا مال ہو۔ اس نے تو بڑی اچھی ابتداء کی تھی۔ لیکن قسمت نے یاوری نہیں کی اور اسے قتل کر دیا گیا۔ اس سے پہلے کہ امریکہ اور کروڑوں امریکی باشندوں کے لئے اس کی امید بر آتی اور اس کے حسین خوابوں کی تعبیر نکل آتی، وہ چپ چاپ موت کی آغوش میں جا لیٹا۔

دو سال دس مہینے اور دو دن تک جان ایف کینیڈی امریکہ کے صدر رہے تھے۔ جب ان کی میّت آخری بار کیپٹول (Capitol) کی عمارت میں لائی گئی تو اتوار کا دن تھا اور دوپہر کا وقت، جب ہوا میں خنکی تھی اور نیلا آسمان بادلوں سے صاف تھا۔

جس دن انہوں نے صدر کا عہدہ سنبھالا تھا اس دن فوجی پریڈ ہوئی تھی۔ یہ پریڈ

تقریباً آدھے دن تک ہوتی رہی تھی۔ آج بھی پریڈ ہوئی تھی۔ لیکن کس قدر مختلف۔ اس میں فوج کے علاوہ لاکھوں سوگوار مرد اور عورتوں نے بھی حصہ لیا تھا۔ یہ لوگ دور دور سے آئے تھے۔ ان سب کی یہ مارچ، تقریباً دو دن تک جاری رہی کیوں کہ ایک سوگوار قوم نے اپنے عزیز جواں مرگ صدر کو خراجِ عقیدت پیش کیا تھا۔

کیپٹول کی عمارت میں صدر کینیڈی کی میّت بالکل وہیں رکھی ہوئی تھی جہاں آج سے تقریباً سو سال پہلے ایک اور صدر کی لاش رکھی گئی تھی۔ اس نے بھی اپنے اصولوں کی خاطر جان دی تھی اور اس کا نام ابراہام لنکن تھا۔

جب آخری لمحات آن پہنچے اور ازلی جدائی کی گھڑی آ گئی تو مسز کینیڈی نے اپنی سنہرے بالوں والی بیٹی کیرولین کا ہاتھ تھاما اور وہ آہستہ آہستہ آگے بڑھیں۔ میّت کے قریب پہنچ کر دونوں نے گھٹنے ٹیک دیئے، آنکھیں بند کرلیں اور بڑے تقدس کے ساتھ امریکہ کے ایک عظیم فرزند کی مغفرت کے لئے چپکے چپکے دُعا مانگی اور پھر آنسو بھری آنکھوں سے اسے الوداع کہا۔ دونوں آہستہ سے اٹھیں اور انہوں نے اسے وہاں چھوڑا جو ایک بڑا صدر، ایک اچھا شوہر اور ایک مشفق باپ تھا۔ وہ اپنی جگہ پر تھکے ہوئے قدموں کے ساتھ لوٹ آئیں تو امریکی قوم، اس عظیم شخص کو خدا حافظ کہنے کے لئے آگے بڑھی جس نے اس کے لئے تین سال سے بھی کم مدت میں اتنا بہت کچھ کیا تھا اور ان کے حقوق کی حفاظت میں اپنی جان دے دی تھی۔